JN025308

特許3.0

博士(知識科学)/
弁理士
白坂 一

AI活用で知財強国に

ダイヤモンド社

プロローグ

私は弁理士ですが、少し変わったキャリアを歩んできました。まず防衛大学校の理工学部を卒業した後、画像処理に関心を持って横浜国立大学大学院で画像処理の研究に打ち込みました。画像つながりで縁あって富士フイルム株式会社に入社し、弁理士となります。

弁理士とは、知的財産に関する専門家です。具体的には、知的財産権の適正な保護と利用の促進を主業務とし、ほかにも知的財産に係る制度の適正な運用に携わります。

２０１１年に独立して国際特許事務所を開設、ナスダック上場のビッグデータ解析企業の関連会社社長を兼任してＡＩ（人工知能）に興味を惹かれ、２０１５年に株式会社ＡＩ Ｓａｍｕｒａｉを創業しました。さらに自然言語処理のＡＩを知識科学の観点から研究し、北陸先端科学技術大学院大学で博士号を取得しています。

この間、弁理士として多くの企業の特許取得をサポートする一方で、自らもいくつもの特許を取得しました。私が取得した特許は、基本的に特許取得に関するノウハウ、効率よくスピーディに特許を取得するためのテクノロジーに関する特許です。

なぜ、弁理士でありながら、特許取得をサポートする技術開発にも力を入れているのかといえば、最大の理由は日本を救いたいからです。もともと防衛大学校の出身であり、授業を受ける中で、何らかの形で日本に貢献したいとの思いが芽生えていました。だから特許の分野で日本を支援したいと思ったのです。

日本企業は戦後、海外に追いつけ追い越せの時代から高度経済成長期まで、主に海外から基礎技術を取り込み、それを改良して成長してきました。その後は技術力でも海外を凌駕するようになり〝Japan as No.1〟と称賛される時代を迎えます。この時代、世界の特許取得数において日本はダントツのトップでした。

けれども、その裏ではアメリカを中心とする巻き返し策が着々と進められていたのです。アメリカは政治家の多くが弁護士出身であり、どうすれば争いに勝てるかと常に戦略を練っています。もちろん日本企業も知財戦略を疎かにしていたわけではありませんが、アメリカはかなり上手だったのです。

そこに10年ぐらい前から中国が乗り込んできました。今や世界の特許出願数は中国が圧倒的に多く、２０２２年の段階で年間１６１・９万件になっています。ただし中国の特許は玉石混交という部分もあり、161・9万件のうち、95・5万件の出願は質の低いものと国が認定しており、国を挙げて質の向上に取り組んでいます。アメリカは約60万件弱、日本はアメリカの半分ほど29万弱しかありません。90年代には日本が世界トップだったにもかかわらず、ここまで落ちてしまった。しかも日本の特許出願数は減少し続けているのです。

その理由はさまざま考えられますが、大きな理由の一つが、中小企業による特許出願の少なさです。日本の全企業の99・7％を中小企業が占めているにもかかわらず、特許出願では全体の17％に過ぎません。

なぜ、中小企業の特許出願が少ないのかといえば、理由は2つ考えられます。第1には大企業に比べ、人・物・情報などのリソースが不足しているからです。第2は、そもそも経営者が特許出願など考えもしないのが大きな理由でしょう。大企業の下請けで安泰だった時代なら、わざわざ自社で特別な技術を開発して特許を取得するなど考えもしなかったはずです。仮にユニークな技術を開発できたとしても、そこから特許を取得するまでのプロセスが見えません。かなり面倒で、費用もかかりそう、だったら特許など取得せずに隠しておけばよい、とそんな考え方だったのではないでしょうか。

だから、日本が衰弱したのではないか。中国の異常なまでの特許取得数の増加ぶりは、国を挙げての施策が後押ししているからです。特許は国力を支える上で重要な役割を果たします。

日本復活のために、少しでもユニークなアイデアを思いついたら、ぜひ特許を取得してほしい。そう思って特許取得をサポートするシステムを開発してきました。

防衛大学校ではさまざまな戦略思考を学びました。戦略とは、単純に相手を打ち負かすだけの思考法ではありません。できる限り損失を抑えながら競争優位を保つのが本質です。特許の世界でも中国やアメリカに対抗するのではなく、圧倒的な優位性を保った上で共存共栄を図ればよいではないですか。

そのためには、どうすればよいのか。本書では、中小企業からスタートアップ、さらには学生から子どもまでが自らのアイデア特許として活用し、日本復興へとつないでいく、そのための道筋を明らかにしていきます。

目次

第1章

スタートアップの特許出願

オックスフォードの博士3人が立ち上げたスタートアップ

イギリス・オックスフォードの大学院で、たまたま3人の日本人Ph.D（博士）が知り合い、研究領域はまったく違うのになぜか気が合い、その後とんとん拍子でスタートアップを立ち上げることになりました。それがＴｒｅｓ Ａｌｃｈｅｍｉｘ株式会社、登記上の本社は福岡市にあります。

同社を創業したのは、オックスフォードで医学を専攻したH氏、化学専攻のY氏、情報工学専攻のM氏の3人。共通点は同じ時期にオックスフォードにいただけ。日本での生まれも育ちも関心もバラバラなのに、なぜか話していると楽しい。週末になるとパブでビールを飲みながら、自分たちの研究について話をして盛り上がる。そんな間柄だったようです。

ちなみに今もH氏はまだオックスフォードで研究を続け、Y氏は日本の国立大学で助教となり、M氏はポルトガルの大学に研究職として勤めています。まさに三人三様、世界各地に散らばりながら、それでもスタートアップを立ち上げた。その背景には、3人の強い思いがありました。

3人が携わっているのは、いずれもいわゆる基礎研究です。研究者にとって基礎研究とは、実用性の縛りにとらわれることなく、純粋に研究の面白さを追求できる領域です。だからこそ日本を飛び出してオックスフォードまで行って研究に打ち込もうと思ったのです。とはいえ研究が大好きだから、などという思いだけで入れる世界ではありません。

オックスフォードは世界中から選りすぐりのエリートが集まる学究の場です。いくら入りたいと思っても、簡単に飛び込める世界ではありません。そこに集う研究者の卵たちは、それぞれに突き抜けた力を持っています。その中でもさらに際立った実績と才能を示した者だけが、オックスフォード大学院のPh．Dとなれるのです。

ですから3人とも、基礎研究者としての能力は十分に認められた逸材です。これからはそれぞれが、自分の専門領域で基礎研究を突き詰めていく。その覚悟は固めているものの、3人の胸のうちには、共通して秘められていた疑問が一つありました。

「自分たちが携わっている基礎研究は、それぞれの分野で世界最先端を突っ走っている。これは間違いない。では、その研究は現実の問題解決に役立つのだろうか。私たちの力を活かして、何か社会貢献はできるのだろうか」

こんな疑問を抱えていた3人の考えは、やがて一つのゴールに向かって収束していきました。つまり、自分たち3人の知識を活かせば、現実的な社会問題を何か解決できるのではないか。このような気づきが、やがては「いや、何とかして私たちの得意分野を活かして社会問題の解決に貢献したい」という強い思いに結実していきました。

それ以降、週に1回のパブでの集まりは、自分たち本来の研究分野を超えた、社会問題の解決手段を討論する場へと変わっていったのです。

とんでもない可能性を秘めた技術

3人の知識を活かせば、何ができるのか。議論を重ねた末にたどり着いた結論、それは製薬でした。といっても、自分たちで薬を創り出すのではありません。研究者として培ってきた3人の力を結集すれば、薬の効果をシミュレーションするＡＩプラットフォームを創出できると考えたのです。

新しい薬を創り出す創薬プロセスでの最大のボトルネックは、薬の候補である化合物の効能判定です。製薬企業は膨大な種類の化合物を創り出しては、その効能をさまざまな実験を繰り返して試しています。いわゆるin vitro、試験管レベルでの実験により効果がありそうだと判定されれば、次はin vivo、すなわち動物などの生体内で試してみる。これにより効果が確認されると、臨床試験へと進んでいきます。また最近ではin vitroの前、あるいはin vitroとin vivoの間でin silicoすなわちコンピュータ・シミュレーションによる効能の推定が行われるようにもなっています。

ただし、最終的には人体に投与してみて狙い通りの効果が出るかどうかを試さなければなりません。生命現象をコンピュータで解析するバイオインフォマティクスの進化により、創薬プロセスが短縮・改善されつつあるとはいえ、そのプロセスには膨大な時間と予算がかかります。

こうした状況を改善する手段として3人は、薬の効果を予測するＡＩプラットフォームを思いつきました。まさに医学、化学に加えて情報工学に関する最先端の研究者たちだからこそのアイデアです。人体に投与された新しい化合物が、人体内をどのように動いていき、最終的にはどのような働きをするのか。一連のプロセスをＡＩの力で解明する。実現できれば、その化合物がターゲットとしている病気を治療できるのかどうか、あるいは仮に副作用のおそれが考えられる場合には、その程度までを予測できるようになります。3人が目指したのは、その予測結果を確率として数値評価できるようなＡＩプラットフォームです。

果たして特許を取れるのか

Ｙ氏の発想からアイデアが生まれ、医学にバックグラウンドのあるＨ氏、シミュレーションなどに詳しいＭ氏の知見から、そのアイデアに斬新さと社会的な価値があると思われました。ただ、プランが具体化していくにつれて、気になり始めたのが先行事例の存在です。自分たちが思いつくようなアイデアなら、ほかの誰かも考えているかもしれない。アイデアレベルならともかく、どこかに特許取得されていた場合、後発アイデアは特許権の侵害となるリスクがあります。

3人は研究者ですが先行特許については素人ですから、そもそもどのように調べればよいのかもわからない。もちろん、特許調査に関しても研究を進めるのと同じスタンスで取り組み、ある程度の目星はつけられ、その段階では先行特許は見つかりませんでした。

けれども、素人判断で取り掛かるのではリスクが大き過ぎます。それぞれが現役の研究者として抱えているテーマに打ち込みながら、その上で新たな負荷をかけてＡＩプラットフォームの実用化に取りかかるのですから、できる限りリスクは抑えたい。そこで弁理士を探そうという話になり、Ｙ氏の大学時代のつてをたどって、私のところに連絡が来たのです。ちなみにＹ氏の大学時代の友人がスタートアップを立ち上げていて、私がそのお手伝いをしていたというご縁がありました。

この時点で、私が開発した特許検索システム「ＩＰ ＬＡＮＤＳＣＡＰＥ 特許検索」によって先行特許を分析し、さらに特許性をＡＩで評価するシステム「ＡＩ Ｓａｍｕｒａｉ」で、3人のアイデアを評価してみると、進歩性の可能性が高いという判定が出ました。ですから本格的な特許申請へと進んでいきました。

研究者にとって弁理士とのやり取りは不慣れな作業

相談を受けた段階で、まず取り掛かったのが先行特許の調査です。これにはＩＰＬＡＮＤＳＣＡＰＥ特許検索をフル活用して確かめ、その時点で先行特許は存在しないと確認できました。

そこから研究者たちと弁理士のやり取りが始まります。まず研究者たちが、自分たちのアイデアを文書化して送ってきます。これを受けて私たちが、その内容を特許書類形式に書き換えて送り返します。

特許書類形式で書き直すと、技術の根幹がやや曖昧になるところが出てくるため、研究者たちが特許書類形式の文書に再度、加筆修正して送り返します。これに対して再び弁理士の視点から手を入れていく。

こんなやり取りを何度も繰り返していきました。この間には文書でのやり取りだけでなく、オンラインでのミーティングも行っています。ミーティングを行うと、初めての特許出願で研究者たちが明らかに戸惑っている様子が伝わってきました。おそらくは研究者同士のディスカッションと、弁理士との話し合いでは、彼らにとって感覚が大きく異なるのでしょう。もしかすると、研究者たちと比べて、こちらの年齢層が若干上だったのも影響していた可能性があります。

研究者たちは、とても気を遣いながら話していて、けれどもアイデアの根幹となる部分については、決して誤解が生じないように言葉を尽くして話している。そんな印象を強く感じました。

後に彼らから話を聞いたところ、次のようなコメントがありました。

「何より、ＰＣＴ出願（特許の国際出願）から特許性の見解を得るまでにこれほど時間がかかるとは思わなかった」

特殊な内容だったこともあり、面談からＰＣＴ出願し、見解を得るのに実質的に半年ぐらいの時間がかかりました。

「弁理士さんとのミーティングが終わると、毎回ぐったりするほど疲れていた」

私たちに気を遣いながら話している様子が、ひしひしと伝わってきていました。けれども、発明の根幹に関わる部分では、絶対に妥協しないという強い覚悟も感じました。

「何より誤解が生じないように話す必要がある。そのための言葉の選び方には、とても慎重になった」

お互いにふだん使い慣れている専門用語が異なるため、相互理解を醸成するのに苦労しながら話してくれているのは、よくわかりました。

ともあれ、半年の時間をかけて特許申請からPCT出願までの手続きは、すべて無事に終了して、発明の特許性が認められる見解を経て、今は各国に移行をするかを検討する段階となっています。

特許を切り口としたアイデア拡散

彼らとの特許申請を進めている間に、私は本書の第4章で説明する「AI特許評価システム」と「AI特許文書作成システム」の開発を進めていました。その後さらに、対話型AIであるChatGPTを活用する特許文書作成システムの開発も進めています。これら一連のシステムを彼らに説明し、ＡＩを活用しない従来の特許申請プロセスを経験した彼らの評価を聞いてみました。

3人がそろって「めちゃくちゃ期待する」と話してくれたのが、生成ＡＩを活用するシステムです（本書の第5章で詳しく説明します）。このシステムに対して、何をどのように期待してくれているのでしょうか。

最大のメリットとして挙げてくれたのが、弁理士の先生と話す必要がなくなる点でした。といっても、私たちを嫌っているといった話ではもちろんありません。研究者には研究者のコミュニケーションスタイルがあります。何かと気を遣う弁理士相手ではなく、生成ＡＩが相手なら、研究者スタイルのまま本音で対話できる。だから話をするときの精神的な負荷がまったくなくなるだろう。もちろん、生身の人を相手に会話するようなダイレクトなレスポンスはないでしょう。けれども、テキストによる対話を通じて、内容を深める作業に研究者は慣れているというのです。

しかも、弁理士と話をするとなれば、仮にオンラインによって場所の制約はなくなったとしても、時間を合わせる必要はあります。これも生成ＡＩが相手であれば、時間の制約も一切なくなります。つまり何かアイデアを思いついたら、そのときすぐに対話が

国際調査機関の見解書

国際出願番号 PCT/JP2022/044294

第V欄	新規性、進歩性及び産業上の利用可能性についてのPCT規則43の2.1(a)(i)に基づく見解並びにその見解を裏付ける文献及び説明		
1. 見解			
新規性（N）	請求項	1-17	有
	請求項		無
進歩性（IS）	請求項	1-17	有
	請求項		無
産業上の利用可能性（IA）	請求項	1-17	有
	請求項		無

でき、思いついたアイデアを特許にできそうかどうかを、その場で判断していけます。アイデアを思いつくシチュエーションとしては、よく三上（馬上・枕上・厠上）がいわれますが、それこそシャワーをしていて何か思いつくケースもよくあるといいます。そんなときスマホでサッと生成ＡＩと対話すれば、アイデアが広がる可能性があります。

さらにです。思いついたアイデアについて生成ＡＩと話しているうちに、アイデアの幅が広がったり、深掘りもできるようになります。研究者たちは、毎日何らかのアイデアを思いついています。それらのアイデアを、生成ＡＩとブレストしていければ、特許が生まれる可能性が大幅に高まるのではないかと言います。

そして最後に「生成ＡＩを活用する特許文書作成システムが完成したら、ぜひすぐに教えてください。自分たちのビジネスを進めていくためにもきっと、有効活用できると思います」と話してくれました。

ちなみに画期的な特許として進歩性があると評価された、ＴｒｅｓＡｌｃｈｅｍｉｘ株式会社のＰＣＴ出願の見解書の結果は、右ページ上の通りです。

第2章

中小企業と
スタートアップこそ
知財で戦う時代

激減してしまった日本の特許出願

日本の年間特許出願数は、最高で約44万件あったのに今では29万件弱へと15万件も減ってしまいました。過去最高を記録したのは2001年で、当時は世界でもNo.1だったのです。それが今では全盛期の3分の2にまで落ち込み、世界3位に甘んじています。

なぜ、このような状況に陥ってしまったのでしょうか。戦後の日本企業の成長と衰退が、特許の出願数から見て取れます。

日本企業は敗戦からの復興期に、海外企業を見本として彼らの技術をうまく真似た上で、さらに改良を加えて成長してきました。そんな状態からやがて高度経済成長期に突入すると、自社の優位性を保つために大企業は特許の大量出願戦略を展開します。

当時、特許業界でよく聞いた合言葉が「特許は一つだけ取っても意味がないよ」です。この言葉が示しているのは、一つのテーマに関しては複数、それもできるだけ多くの特許を持たないと競争戦略として効果を持たないということです。ただ複数出願となるとコストもかかるため、いくら良いアイデアを思いついたとしても、中小企業には手を出せない世界での戦いとなります。ですから日本では自然に、特許出願といえば大企業が行うものといった空気が醸成されていったのです。

けれども本来、特許とは「小が大を制する」武器であり、中小企業こそ活用すべきものです。ただ、そんな状況になると大企業はやりにくくて仕方がなくなりますから、優れた技術を持つ中小企業からの特許出願は可能な限り押さえておくに限る、ですから特許を一つだけ取っても意味がないなどとアピールしていたのです。

もう一点、アメリカの特許戦略が変化した影響も否めないと思います。戦後しばらくの間はアメリカも、日本を確実に自由主義陣営に引き込むため復興を後押ししてくれました。ところが、いつの間にか日本がアメリカを追い越すほどの勢いに成長すると、見過ごしておけなくなったのでしょう。

そのため高度経済成長期には、日本企業がアメリカに進出して成功すると、特許侵害で訴えられて敗訴するケースが相次ぎました。もともとアメリカの要素技術を真似て、それを改良した部分が日本では特許として成立していたわけです。ですからそうした技術を国内で使っている分にはよかったものの、本家のアメリカで使うと裁判に持ち込まれて敗訴、巨額の賠償を負わされます。

そこで日本も要素技術の開発をすべきだと考えられるようになり、大企業を中心とする研究所ブームが起こりました。企業研究所については、アメリカでは早くからＡＴ＆Ｔのベル研究所などで要素研究を進めたものの、うまく実用化につなぐことができませんでした。ですから自らは基礎研究を行わず、他国における基礎研究の成果が製品化されると、それをバージョンアップした模倣品を展開する戦略に転換したのです。日本の成長を支えた模倣戦略を今度はアメリカが真似たわけで、賢明な選択だと思います。

企業の研究所で、ゼロイチでビジネスアイデアを創出するのは相当に難易度の高い作業です。これはと思いついたアイデアでも、それがマーケティング用語でいう「新しい釣り場」、すなわち新たな市場を創り出せるかといえば、その確率は決して高くありません。むしろすでに釣り場と明らかになっているスポットで特許や改良特許をたくさん出すほうがいい。これも釣りに例えるなら、確実に釣れる場所で新しい餌や釣り方を工夫するほうが、ビジネスとして成立する確率は高まります。

もちろん斬新なアイデアであれば、特許自体は取りやすくなります。ですから研究所同士で特許の数を競い合っていた時代の大企業は、とにかく特許を数多く出願することにこだわりました。けれども、特許を取ったアイデアがビジネスになるとは限りません。一方で、特許出願には当然ながらコストがかかります。それでも企業の業績が右肩上がりで伸びている時代には、それなりにコストも吸収できていたのです。

知財戦略、日本衰退の歴史

日本の知財戦略の歴史を簡単に振り返れば、２００６年ぐらいまでは競合他社に対する優位性を保つために、巨大な特許ポートフォリオ構築に努めてきました。ひたすら特許を数多く出願する戦略です。

ところがリーマンショック以降はグローバル展開に乗り出し、知財経営戦略をコストマネジメントを意識したものへと転換します。特許出願の数は抑えながら質を向上させた特許ポートフォリオを構築し、欧米だけでなくＢＲＩＣｓでの出願も強化します。

きっかけはリーマンショックが引き起こした不景気であり、業績不振に伴いコストダウンを求められるようになったからです。知的財産に関してもコストダウンのために出願件数を絞り込むようになったのです。ただし単に数を減らすだけとなるとマイナスイメージがついてしまうので、数より質だとアピールしていたのだと思います。

ちょうどその頃にアップルがｉＰｈｏｎｅを発売しました。おそらく日本の大企業はこれを見たとき、すごい新製品で真似しなきゃと思う反面、アップルはしょせんベンチャー企業だからまだたいしたことないだろうと一歩引いて構えてしまったのでしょう。小が大を覆すような事例は日本にはなかったため、アップルを真似るような動きは起こらなかったのです。その点、韓国メーカーは対応が早かったですし、少し遅れて中国も後追いしていきます。そして今や中国の都市部は、スマホがなければ買い物さえできない社会になっています。

以前の日本は、自分たちより強いアメリカを真似して大きくなっていきました。ところがある程度強くなると、自分たちより弱いところをあえて真似したりはしませんでした。〝Japan as No.1〟などといわれるようになり、何か誤解してしまったのでしょう。いわゆる大企業病に日本企業がとらわれ始めていたのだと思います。

一方では日本の消費者も、特に家電製品などは日本の大手メーカー以外には見向きもしませんでした。日本製品ならハイクオリティで安心できる、これに対して韓国や中国メーカーの製品は安価な分ロークオリティだと捉えてしまう。けれどもインドなどでは、エアコンなら韓国製が、コストパフォーマンスが良いと評価されているようです。もっともそんな情報は日本では報道されないから、みんな知らないのです。

したたかなアメリカの動き

そんな日本と比べると、際立ってしたたかなのがアメリカです。アメリカは特許はもとより、そもそも政治においてもルールチェンジがうまい。その最大の要因と考えられるのは、アメリカが弁護士社会だという事実です。

アメリカでは何事においても、弁護士が儲かるような仕組みを最優先で考えます。実際、アメリカの国会議員の多くは弁護士出身です。オバマ元大統領やヒラリー・クリントン、今のバイデン大統領も弁護士出身で、実業家出身で大統領となったのは、最近ではトランプぐらいではないでしょうか。

初期のアップルに著名な法律事務所が投資していたように、スタートアップの特許取得を支援し、後にしっかり稼いでいる弁護士も数多くいます。ちなみに日本では弁護士出身の国会議員は数％以下ぐらいしかいないはずで、こうした違いが日米の国家戦略展開に表れているようにも思えます。このような状況は特許を巡る環境に大きな影響を与えています。

そもそも特許制度の起源を探れば、中世イタリアのベニスに至ります。世界最初の特許は、フィレンツェ共和国の建築士ブルネレスキに与えられました。その対象となったのは、巨大な大理石を運搬する船の発明です。

要するに国王が命じて特別なシステムを作らせた。作った側は、真似をされては困るので作り方を誰にも教えたくない。けれどもそれでは国としての発展を望めない。ですから王が独占権を与えるかわりに、作り方を文書化して公開させる。これが特許のもともとのスタートです。

その後、１４７４年にベニス共和国で世界最古の成文特許法「発明者条例」が公布されました。[*1] そして１６２４年にはイギリスで「専売条例」が成文特許法として制定され、この条例によって、今日に至る特許制度の基本的な考え方ができあがりました。

アメリカで憲法の規定に基づいて特許法が制定されたのは１７９０年です。第16代アメリカ大統領であるエイブラハム・リンカーンは、自らも特許を取得するなど特許による産業振興に力を入れました。そのリンカーンは「特許制度は天才の熱情という炎に利益という油を注いだ」という言葉を残しています。この言葉は今でもアメリカ商務省の玄関脇に掲げられています。ちなみにリンカーンも弁護士でした。

特許についてはそもそも戦略的思考を持つアメリカは、世界における競争優位がゆらぎ始めると対策を考えます。そこで２００６年に民事訴訟法を改正して作られたのが「E-Discovery」制度です。E-Discoveryは民事訴訟における、電子データを対象とする証拠開示手続きであり、メールを含む電子データの収集・保全から情報分析、さらにはレポート作成まで一連の手続きを、弁護士事務所と連携して提供する必要があります。

E-Discoveryの元となったアメリカのDiscovery制度では、訴訟の当事者双方が、訴訟に関わるあらゆる証拠を開示しあいます。これがＩＴ化によりペーパーレスとなり、証拠のほとんどすべてがデジタルデータ化されたためE-Discovery制度へと移行したのです。

その結果、何が起こったかといえば、裁判で検討する文字データ量が以前の1万倍ぐらいに増えました。デジタルデータなら保存も簡単で、アクセスもしやすい。膨大な量のデータを誰が読むのかといえば、裁判に関わる弁護士です。つまり弁護士の作業量が増え、報酬も増えるというわけです。

世界の特許制度をリードしているのはアメリカですから、自らに有利になるように制度を変えるのは当たり前ともいえます。そうした状況をアメリカ企業はうまく利用していますし、ヨーロッパ企業も同様です。そこに急激に割り込んでいるのが中国であり、中国に対してアメリカは相当な警戒感を抱いています。

急速に力を付けている中国

中国は2001年12月にWTO（世界貿易機関）に加盟して以降、急速な経済発展を遂げました。当時は日本の3割程度に過ぎなかったGDPは、2021年には日本の3倍にまで膨れ上がっています。

その中国の知財戦略を振り返ると、当初から欧米と同様の知的財産制度を導入しています。知的財産の侵害に対してもアメリカと同様の仕組みを採用していたのです。

アメリカでは、特許を故意に侵害した場合には3倍賠償が求められます。3倍賠償とは、アメリカの特許法第284条に基づく制度で、特許権の侵害訴訟において、侵害した者が故意に特許権を侵害したと認められると、裁判所は賠償額を3倍にまで増やせるのです。要するに特許侵害には、それぐらいの懲罰が加えられてしかるべしという考え方に基づく制度です。

特許侵害の裁判ではE-Discovery制度により、原告・被告双方のデータがすべて開示されるため、極めて真正で公平に裁判が行われます。そのため被告側が負ける可能性が高いのです。中国も同様の賠償制度を採用しており、アメリカの3倍賠償に対して5倍賠償を採用しています。

特許取得に関しては高度経済成長期の日本の知財戦略を取り入れながら、特許侵害については最先端をゆくアメリカのルールを巧妙に取り入れてミックスする。その上で特許出願については国を挙げて大量出願を後押ししていて、2021年の出願数は158万6千件とダントツの世界第1位となっています。第2位のアメリカが59万1千件、第3位の日本が28万9千件ですから、中国の飛び抜け方は際立っています。

この背景となっているのが研究開発への注力で、研究開発費の伸び率はアメリカの2

倍です。その成果はトップ論文の数にも表れていて、2022年9月には上位1％の論文数（論文の被引用数が各年各分野の上位1％に入る論文の抽出後、実数で論文数の100分の1となるように補正を加えた論文数）で中国がアメリカを抜いて世界1位となりました（「科学技術指標2023」[*2]／文部科学省科学技術・学術政策研究所より）。ちなみに日本は、上位1％論文については世界10位で低落傾向が続いています。

以前は中国の特許について内容や質の低さを指摘する声もありましたが、それも改善傾向にあります。中国は国策として、世界の工場といわれた下請け体質からの脱却、ひいては経済でのアメリカ依存からの自立を目指していて、さらに知財強国を目指す動きも加わっています。

注意すべきは、中国はとかく自画自賛する傾向があると思われがちですが、少なくとも特許に関する政策文書では、自国の現状を冷静に分析している点です。中国の特許に詳しい専門家に聞いた話では、確かに以前の中国は偽物大国と呼ばれ、実態もその通りでしたが、そんな状態を続けていてはアメリカに絶対に勝てないとの認識が高まり、イノベーションの必要性を痛感するようになったというのです。

中国共産党内で開かれる集団学習の場で、2020年11月には知財がテーマとして取り上げられました。これには習近平国家主席も参加していて、知財の保護はイノベーションの保護につながるとの考え方が打ち出されています。特許出願についてもまずは量を重視していますが、いずれ質に転換するものと考えられています。

また見過ごせないのが知財に関する紛争の急増ぶりです。民事第一審の侵害訴訟のうち特許権に関する件数が年間で12万件に達しています。日本の年間２００件程度と比べれば、中国のスケールを感じてもらえるのではないでしょうか。

この中国に対して日本はどう向き合っていくべきか。アジア全体での共存共栄を考えるのは一案だと思います。中国をはじめとして韓国やインド、台湾などをうまく巻き込んで共存共栄していく戦略です。

戦略的思考に基づくなら、中国としたたかに友好関係を結ぶ選択肢もあってよいと考えます。友好関係の締結によって中国による知財侵害リスクを軽減できるなら、アメリカに一方的に依存する必要もないわけです。もちろんだからといってアメリカに対抗するわけでもありません。

中国とアメリカの間に位置する日本独自のポジションを、有効活用するのです。たとえば中国はアメリカのシステムを使えないけれども、日本は使えます。中国との関係を良好なものに持っていけば、中国のシステムも使えるようになるでしょう。両者の良いところ取りをしながら、安全保障も高めつつ、一国への依存度を下げる。これが、これからの日本にとって考慮すべき戦略の一つではあると思います。

「シン・ランチェスター戦略」で中小企業、スタートアップこそ特許で戦う時代

急激な勢いで特許出願を増やしている中国と、いかに戦っていけばよいのか。昨今の日本のトレンドを見ていると、もはや手の施しようがないのではないか。少子高齢化が進み、博士を目指すような若者も減る一方だし……。

けれども、そんな日本でも希望はあると私は考えます。特許で戦っていけばよいのです。ただし、これからの主役として大企業ではなく、中小企業やベンチャー、スタートアップに期待したいと思うのです。

日本の全企業のうち、いわゆる大企業は全体の0・3%。すなわち全企業数約360

万社（2016年）のうち、大企業はざっと1万社に過ぎません。残りの359万社が中小企業です。そのすべてがとはいわないまでも、仮に中小企業の10％に当たる36万社が特許を出し始めればどうなるでしょうか。日本は一変するはずです。

弱者の取るべき戦略として知られているのが、ランチェスター戦略です。もともとは第1次世界大戦の際にイギリスのエンジニアであるフレデリック・ランチェスターが提唱したもので、「弱者の戦略」と「強者の戦略」に分けられ、中小企業などは弱者の戦略を取るべきだといわれてきました。その内容は、そもそも戦闘力は、武器効率と兵力数の掛け算によって決まるというものです。武器効率が同じであれば兵力数の多いほうが勝ち、兵力数が同じであれば武器効率の優れたほうが勝つ。当たり前の話です。

であるなら、兵力数が劣っている弱者でも、優れた武器を持っていれば強者に勝てる可能性があります。あるいは武器が同じであれば、一騎打ちもしくは局地戦に持ち込む。これなら兵力数の差は問題ではなくなります。

中小企業が特許で戦う場合に置き換えるなら、アイデアや技術を磨き抜いて、可能な限りピンポイントなマーケットで勝負する。これが従来のランチェスター戦略的な考え方でしょう。

けれども、現状の中国の動きを見ていると、これでは勝てないのではないでしょうか。そもそも人口で比べれば、中国は日本の15倍も多いのです。その中国を人口で追い抜いたのがインドです。理数系に強い人材が多いといわれるインドは、これから要注意国となるでしょう。

そんなこれからの世界の中で、日本はどう戦っていくべきか。主役となるべきは中小企業やスタートアップです。そして採るべき戦略として提案したいのが「シン・ランチェスター戦略」です。

シン・ランチェスター戦略とは、私が考えた新しい戦い方です。

ランチェスター戦略が、武器効率と兵力数によって組み立てられていたのに対して、シン・ランチェスター戦略では、そこに武器数を加えて考えるのです。

ランチェスター戦略の「戦闘力＝武器効率×兵力数」に対して、シン・ランチェスター戦略では「戦闘力＝武器効率×武器数×兵力数」となります。

この武器数に相当するのが、特許数です。これからの日本の中小企業やスタートアップは、特許の質に加えて特許の数で勝負する。それによって高い競争力を持つというのが、シン・ランチェスター戦略です。

仮に中小企業の10％に相当する36万社が、1社当たり10の特許を出願すればどうなるでしょう。中国の現状の2倍を優に超えられます。

とはいっても、そんなことが本当にできるのかとお思いになるでしょう。第1章で紹介した、オックスフォード出身の博士たちでさえ、特許出願に苦労していたではないかと。

確かに去年までの世界なら、決して簡単な話ではありませんでした。ところが知財を巡る環境は激変しています。実は本書を書いている今も大きな変化が進行中であり、本書が出版された段階では、さらに新しい世界へと突入している可能性もあります。

それではいったい、何が起こっているのか。次の章以降で説明します。

第3章

中小企業、スタートアップの知財戦略

彼を知り己を知れば百戦殆うからず

兵法書として知られる中国の古典『孫子』といえば、まず思い浮かべるのが「彼を知り、己を知れば、百戦して殆うからず」ではないでしょうか。ただし、ここで一点注意していただきたいのが、よく「敵を知り、己を知れば」と間違われがちだけれども、実際には「敵を」ではなく「彼を知り」と書かれている点です。「彼」とは単に「敵」だけに留まらず、「敵」を含む環境全体を示す言葉だと考えられます。この視野の広さが重要であり、だからこそ『孫子』はビジネスにも応用できるのです。

しかも『孫子』の兵法の真髄は「百戦百勝は善の善なるものに非ず。戦わずして人の兵を屈するは善の善なるものなり」に示されていると、私は考えています。つまりあえて戦って勝つのではなく、そもそも戦わないのが何より大切なのだと孫武は説いている。もちろん戦わないといっても、戦わずして引き下がって負ける、というわけではありません。要は、戦う前に相手の戦意を挫いてしまえばよい。この相手とは戦うべきではないと相手に判断させた結果として、戦わずして勝つのです。

この考え方をビジネスに応用するなら、戦わずに勝つための武器が特許です。さらに相手に戦いを諦めさせるためには、コアとなる発明だけでなく、関連する特許までをできるだけ押さえておくべきであり、すなわちシン・ランチェスター戦略の実践が必要です。

戦略実践のためには、戦いの環境を知っておくこと、つまり「彼を知る」必要があります。そのための手法として知られているのが「ＩＰランドスケープ」です。ＩＰランドスケープのＩＰは「Intellectual Patent（知的財産）」を意味します。知的財産は一般に、特許権、意匠権、商標権の3つを含みますが、本書では特許権を主な対象とします。

ところでランドスケープという言葉は景観に加えて、ビジネス関連では環境や展望などを意味します。したがってビジネス用語としてのＩＰランドスケープとは、自社を取り巻く知的財産に関する状況を意味する言葉であり、たとえば特許庁は次のように定義しています。

「経営戦略又は事業戦略の立案に際し、（1）経営・事業情報に知財情報を取り込んだ分析を実施し、（2）その結果（現状の俯瞰・将来展望等）を経営者・事業責任者と共有すること」

ちなみに特許庁が公表している『知財スキル標準 version2.0 取扱説明書』は、知財を担当する人材に求められる業務内容として、ＩＰランドスケープ、知財ポートフォリオ・マネジメント、オープン＆クローズ戦略、組織デザインの４つを挙げています。その中でＩＰランドスケープの業務内容については、次のように記されています。[*3]

- 知財情報と市場情報を統合した自社分析、競合分析、市場分析・企業、技術ごとの知財マップ及び市場ポジションの把握・個別技術・特許の動向把握（例：業界に大きく影響を与えうる先端的な技術の動向把握と動向に基づいた自社の研究開発戦略に対する提言等）
- 自社及び競合の状況、技術・知財のライフサイクルを勘案した特許、意匠、商標、ノウハウ管理を含めた、特許戦略だけに留まらない知財ミックスパッケージの提案（例：ある製品に対する市場でのポジションの提示、及びポジションを踏まえた出願およびライセンス戦略の提示等）
- 知財デューデリジェンス
- 潜在顧客の探索を実施し、自社の将来的な市場ポジションを提示する。

（同・取扱説明書Ｐ19より）

この説明にある知財マップが、ＩＰランドスケープを考える上で極めて重要なツールとなります。

特許を考える際に何より大切な知財の可視化

知財マップを作成するためには、関連する特許を調べる必要があります。特許出願書類は、具体的には願書（特許願）、明細書、特許請求の範囲、必要な図面、要約書から成ります。これらの書類には、次のような項目が記載されています。

- 願書（出願人、発明者）
- 明細書（発明の名称、先行文献、実施例）
- 特許請求の範囲（クレームなど）
- 図面（フローチャート、ブロック図など）
- 要約書（課題、解決手段）

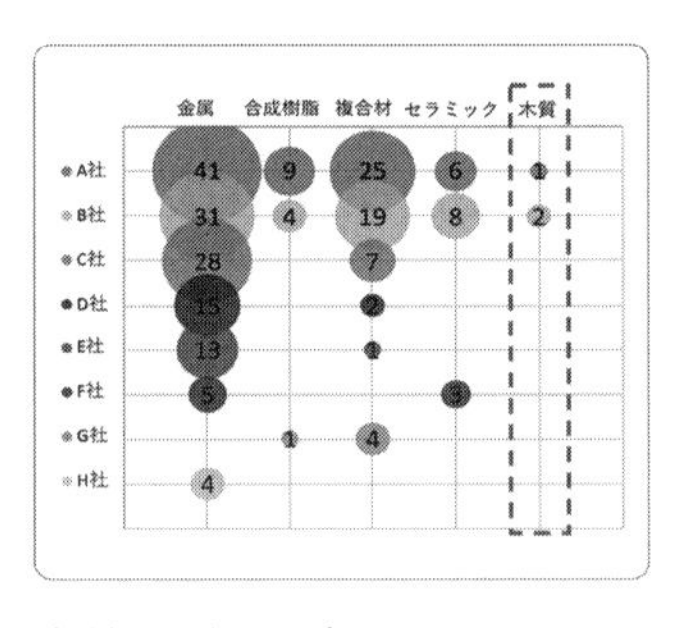

材料・用途マップ

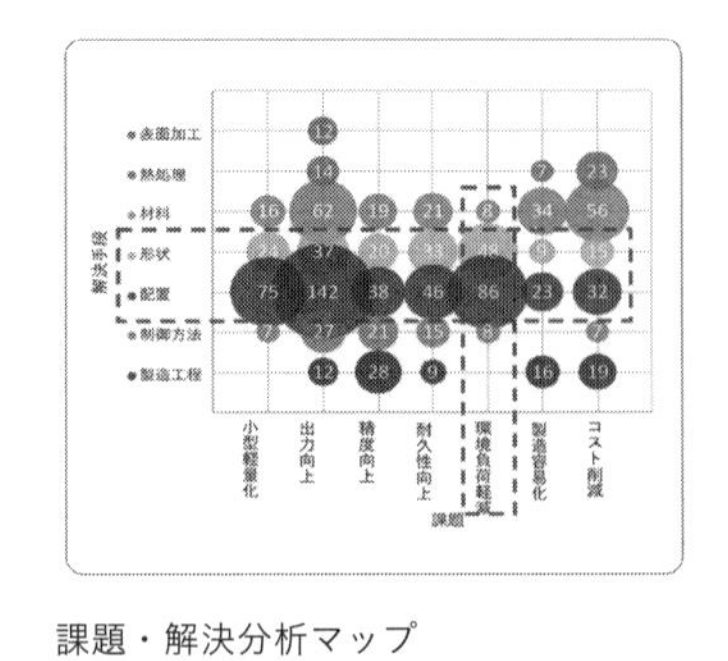

課題・解決分析マップ

したがって、特定分野に関する特許出願書類を分析すれば、各社の出願動向や知財戦略を把握できます。自社が技術開発に取り組み、特許取得を目指している分野で、他社がすでにどのような特許を取得しているのか。一連の情報を理解しておかなければ、自社技術について特許出願をしても、他社が先行して類似の特許を取得している場合には特許は認められません。あるいは他社が特許取得している技術を、意図せずに模倣した場合などは、特許権の侵害で訴えられるリスクもあります。

そのようなリスクを避けるために、必要なのが知財の可視化です。そのためのツールとして、よく例に挙げられるのが特許マップです。特許マップについては、独立行政法人工業所有権情報・研修館（ＩＮＰＩＴ）が『特許情報分析による中小企業等の支援事例集』の中で、８種類のマップを紹介しています。

J-Plat Pat（特許情報プラットフォーム）

たとえば課題・解決分析マップは、横軸に課題、縦軸に課題の解決手段の項目を表示して、その交点に相当する特許件数を表示します。このマップを作成すれば、特定の課題に対する他社のアプローチ状況が一目瞭然となり、またどこに付け込むすき間があるのかが明らかになります。仮に他社の特許件数の少ないテーマが明らかになれば、そこに新たなビジネスチャンスがあるわけです。ただし、なぜ特許件数が少ないのかと一歩踏み込んで考えれば、何らかの技術的問題の存在も予想されます。だとすれば、その問題を解決できる手段を開発できれば、一気に優位に立てるわけです。

あるいは材料・用途マップでは、横軸に

材料もしくは用途、縦軸に競合他社を並べて、各社ごとにどのような材料や用途を重視しているのかを一覧化します。これを見れば、どの材料が空き地になっているのかを把握できます。

では、特許マップを自社で作成するためのデータは、どこから入手すればよいのでしょうか。このような産業財産権情報を無料で検索できるサービスが「J-Plat Pat（特許情報プラットフォーム）」[*4]であり、これもINPITにより提供されています。使い方はとても簡単で、知りたい特許や実用新案の番号がわかっている場合は、その番号を入力すれば目的の公報が表示されます。また発明の名称、要約、請求の範囲、出願人、発明者などからも検索が可能です。

このように知財マップを活用すれば、自社独自のIPランドスケープを考えられるようになります。

知財の可視化を強力にサポートする IP LANDSCAPE特許検索

ＩＰランドスケープとは、先の特許庁の定義に基づくなら、まずパテントマップを作成して行う、自社を取り巻く状況分析を意味します。その上で特許戦略だけに留まらない知財ミックスパッケージの提案、さらに知財デューデリジェンスから潜在顧客の探索を実施し、自社の将来的な市場ポジション提示までの一連の戦略立案をも表す言葉です。

このような考え方の原点は、私の知る限り２００８年にアメリカのTechLead Corporation社によって立ち上げられたIP LANDSCAPEサービスにあると思います。

ちなみに特許マップは英語ではPatent Mapですが、私は早くからパテントマイニングにも取り組んでいました。私が卒業した防衛大学校でMiningといえば「地雷の敷設」を意味します。最初に就職した富士フイルムで私は、特許を量産するプロジェクトを「Patent Mining」と名付けて、競合他社を攻撃できる特許の量産に取り組んでいました。

ともあれ「ＩＰランドスケープ」は日本では、知的財産権の価値評価等の内容を意味する商標として、弁理士によって商標登録されています。ちなみにコンピュータ処理によるＩＰランドスケープについては、「IP LANDSCAPE」として私が商標登録しています。

その後2022年4月に、AI Samuraiでは、無料で使える「IP LANDSCAPE 特許検索」[*5]をリリースしました。IP LANDSCAPE 特許検索で発明のアイデアとなるキーワードを入力すると、独自の特許マップが俯瞰図として表示されます。

このようなツールを無料提供した理由は、基本的には中小企業やスタートアップのシン・ランチェスター戦略を支援するためです。知財スタッフを抱える大企業であれば、常に彼らが特許情報を調査、整理、分析してレポートにまとめています。けれども、日本企業の99%はそのような余裕のない企業です。そのような企業が自由に気兼ねなく使える武器を提供したいと考えたからこそ、IP LANDSCAPE 特許検索は無料での提供にこだわりました。

中小企業の特許取得へのサポート

ここまで特に中小企業とスタートアップを区別せずに説明してきましたが、実際には中小企業とスタートアップでは状況が大きく異なります。個人的には、まず中小企業が特許をどんどん取るようになってほしい。なぜなら、いわゆる大企業の現状を見る限り、これからの日本の希望はまず中小企業にあると考えるからです。

第2章でも説明したように、注意すべきは中国の存在です。国を挙げて知財戦略を推進しているため、特許の出願数は世界でも飛び抜けています。つい先日（2023年6月）も、日本の産業技術総合研究所に勤務していた中国人技術者が、その妻に勤務先で取得した研究データを密かに提供していた事件が発覚しました。その妻は中国企業の日本代理店で社長を務めていて、取得したデータを元に中国で特許を申請して取得しています。妻がデータを受け取ったのは2018年4月で、その1週間後に中国で特許申請が行われ、2020年6月に特許取得となっています。

一事が万事ではありませんが、以前から中国にとって日本の技術は狙い目となっていました。逆にいえば、日本の中小企業も、自社では気づいていないだけで、実は特許になるような技術を持っている可能性が高いのです。

ですからＩＰ ＬＡＮＤＳＣＡＰＥ 特許検索を活用して、自社技術に関する特許マップをぜひ一度作ってほしいのです。特許庁もＩＮＰＩＴを通じて支援に力を入れています。具体的には専門家によるサポートやニーズに応じた支援などのメニューが提供されているので、ぜひ一度チェックしてみてください[*6]。

このように国も中小企業の知財活用を支援している理由は、現状を放置していると、中国に限らず外資系企業がどんどん日本に進入してくるとの危機感を持っているからでしょう。日本の将来を守るためにも、中小企業の経営者にはぜひ、積極的な特許取得をお願いしたいと思います。

模倣品を特許でブロックしたルイファン・ジャパンのケース

独創的な技術を開発した中小企業が、特許によって自社を守った事例を紹介します。

「キングブレード」ブランドのコンサート用ペンライトを開発したルイファン・ジャパンは、この分野でシェア6割程度を占める人気商品を開発しました。シェア6割といえば、いわゆるクープマンの目標値でいわれる安定的トップシェアの41・7％をはるかに上回り、独占的市場シェアの73・9%に迫るレベルです。

コンサート用のペンライトは大きく2種類に分けられます。使い切りのケミカルライトと、電池式で何度でも使えるタイプです。ケミカルライトは安価だけれども、一度しか使えないのに加えて、電池式に比べると発光が弱くなります。一方の電池式は、発光が強く色を変えられるタイプもあります。

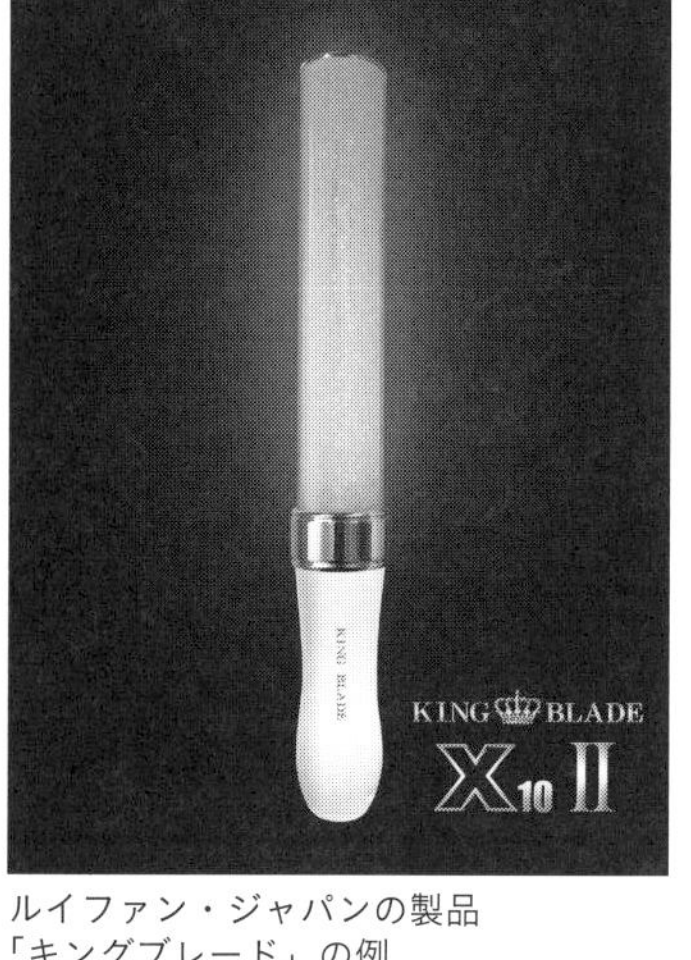

ルイファン・ジャパンの製品「キングブレード」の例

コンサート会場でペンライトを使うファンは、アイドルに自分の存在を知ってほしい一心でペンライトを振り回します。振り回すだけならまだしも、中にはアイドルの顔、それも目を狙ってライトを当てようとするファンもいます。何とか自分に気づいてほしいと願う気持ちはわからないではないものの、目を狙って光を当てられたりするとアイドルとしても、ちょっと困ったことになります。

こうした問題を解決するためにルイ

ファン・ジャパンは、キングブレードを開発しました。キングブレードは電池式で、光源にＬＥＤを採用しています。ただし光をどこかに直接当てられないようなカバーを採用しているのがポイントです。キングブレードを手に持って光らせるファンは、自分の位置をアピールできて、しかもアイドルには迷惑をかけなくて済むわけです。

さらにカバーにはもうひと工夫加えていて、たとえばＡＫＢ48のファンのためには、ライトを点けるとうっすらと「ＡＫＢ」という文字が浮かび上がるような仕組みも取り入れられています。もとより一連の工夫は当然、すべて特許を申請して押さえています。ですから他社は「いいな」と思っても真似ができないはずです。

中には、それでもあえて似たような製品を開発してきたところもありました。そんな相手に対して、ルイファン・ジャパンは、不正競争防止法第2条1項1号に違反するとして、販売行為の差止めと損害賠償を求めて民事訴訟を起こしました。裁判の結果、第一審の東京地裁で勝訴し、続く相手の控訴による第二審の知財高裁において、相手方が不正競争防止法違反を認めた上で和解に至っています。

和解内容は、相手方が、①当該製品の製造、輸入、販売等をしない、②当該製品の在庫を廃棄する、③損害賠償を支払うという厳しいものです。ルイファン・ジャパンについては、私自身が特許申請に弁理士として関わり、裁判にも全面的に携わってきました（和解内容については、ルイファン・ジャパン社ホームページの記載内容より[*7]）。

一連のプロセスを間近で見てきた弁理士としては、仮にルイファン・ジャパンが特許申請をためらっていたら、どのような結果になっていたかと考えてしまいます。アイデア自体は素晴らしいものですが、技術的な難易度が特別高いわけではなく、真似しようと思えばおそらく簡単にできるでしょう。

だからこそ、最初に相談を受けた時点で直ちに関連分野をできる限り広く想定して、押さえられる特許はすべて押さえていきました。優れた商品アイデアに加えて一連の特許戦略も功を奏して、ルイファン・ジャパンはダントツのシェアを確保できました。さらに類似品が出たときにも間髪をいれずに対応でき、裁判では第一審で勝訴した後に和解へと結び付けられたのです。

スタートアップの知財戦略

ルイファン・ジャパンの場合は、中小企業からのスピンアウトによる立ち上げですから、純粋なスタートアップとは少し事情が異なります。スタートアップとの何よりの違いは、ルイファン・ジャパンの経営者が、それまでの経験により経営についてのポイントを理解していた点にあります。

一方で、いわゆるスタートアップは、第1章で紹介したベンチャーに象徴されるように、発明あるいは技術ありきで事業を始めます。すごいアイデアを思いついた、そのアイデアは何らかの課題解決になりそうだ……。となればビジネスとして成立する可能性が出てきます。けれども、同じようなアイデアを考えた人は、他にもいるかもしれません。

ですからスタートアップにまず必要なのは知財戦略です。その上でアイデアを元にビジネスを展開していくためには、経営戦略と事業戦略も必要です。3方向を見すえながらも、まずはアイデアの特許性を確認するのが第一の課題です。

アイデアが客観的に新しいものなのかどうか、そして特許を取得できるものなのかどうか。これを確かめるために行うのが、先行特許調査です。先述したＩＮＰＩＴは、『先行技術文献調査実務』の中で先行技術調査の基本について次のように説明しています。

　先行技術調査は、調査対象の特許出願（以下、審査官が審査をする場合の呼称に合わせて「本願」と言います。）が、特許法に規定される特許を受けるための要件（以下、「法定要件」又は「特許要件」と言います。）に照らして特許されるものか、それとも拒絶されるものかを判断するために行う調査です。

　法定要件のうち、先行技術の調査との関係が深い要件としては、新規性（特§２９１１１）、進歩性（特§29の2）、拡大先願（特§29の2）、先願（特§３９１～４）などがあります。これらの要件の適合性の判断をするためには、どのような先行技術発明が存在するかを把握しなければなりませんから、通常は先行技術文献の検索（サーチ）が必要になります。

　単に証拠としての先行技術文献を発見することだけがサーチの目的ではありません。例えば、進歩性の有無を判断するためには、当業者が先行技術に基づいて本願の発明を容易に発明できたかどうかを判断しなければなりませんから、本願の出願当時の当業者の技術レベルや創作能力を把握しなければなりません。この判断を適切に行うためには、本願の技術分野の技術的進展の流れを予め把握しておく必要があります。また、サーチをすれば類似技術や関連技術等を知ることもでき、その結果として本願の発明をより深く理解することもできます。(『先行技術文献調査実務』[*8] P45)

従来はこのような調査を、大企業では社内の知財スタッフが行い、中小企業やスタートアップでは外部の弁理士に依頼して行うのが一般的でした。これが中小企業やスタートアップにとっては、特許申請の大きな障壁となっていました。費用負担が最初の壁となり、さらには社内の誰が行うのかという担当者問題が2つめの壁として立ちはだかっていたのです。

ですから中小企業は、そんな面倒な作業はできればやりたくないと考えますし、スタートアップの場合には、そもそも時間的にも費用的にもそんな余裕はありません。そのため特許申請の必要性は頭の片隅に引っかかっていながらも、優先順位の上位にはなかなか上がってこなかったのでしょう。

このような中小企業やスタートアップにとっての特許申請の壁を低くする一助になればと提供しているのが「IP LANDSCAPE 特許検索」です。こうしたツールを活用すれば、弁理士に頼らずに自力で、自社の発明に関連する分野で、どのような関連特許が申請されているのかがわかります。

申請されている他社の特許は、いわば地雷のようなものです。どこに、どのような特許が地雷として埋め込まれているのかがわかれば、それを避けられます。さらに先に説明したパテントマイニング、すなわち自分たちがこれから出願を考えている特許についても、関連特許をどのように取得していけばよいのかという取得戦略を効率的に立案できます。その際にぜひ考えておくべきなのが、最低でも5年先、できれば10年先の未来地図を描いた上で、自社の進路を確保する考え方です。

研究論文と特許書類の類似点と相違点

研究開発系のスタートアップであれば、研究論文を書いた経験を持っているはずです。ところが、ほとんどのスタートアップに見過ごされているのが、研究論文と特許申請書類の類似性です。私自身、弁理士として日々書類作成を行っていますが、同時にさまざまな研究も行っていて論文執筆も手がけています。北陸先端科学技術大学院大学で博士論文[*9]を書いて、学位も取得しています。ですから、論文と特許の類似性がよくわかるのです。

ただし研究論文と特許申請書類には決定的な違いが一つあります。論文はあくまでも研究の成果をまとめたものですが、特許は「あるアイデアを元にこれで何をできるのか」を書類にまとめたものです。書くべき内容の構成は似ているけれども、研究論文に必須ともいえる実験によるデータの再現性などは、特許では求められません。

さらに研究論文と特許の違いについて、私は「伏線」の有無が決定的に重要だと考えています。研究論文に伏線を張るのはまったく無意味ですが、特許は違います。たとえばコミックの『ONE PIECE』は、20年ぐらい前に描かれた第1話の伏線が、第80話ぐらいでつながるという壮大な設計となっています。これなどは作者が当初から、どこまで長期的な展望を描いていたかの証です。事業戦略も同様で、できる限り時間軸を長く取って考えるべきです。

スタートアップの皆さんにも、ぜひ『ONE PIECE』ぐらいロングスパンで伏線を考えてほしいのです。スタートアップには、すぐにビジネスとしての結果が出るような事業がある一方で、10年や20年単位で事業計画を考えなければならないケースもあります。そんなスタートアップでは、どれだけ先を読んで知財戦略を考えられるか、つまりどのような伏線を張っておけるかが事業展開を成功させるためのカギとなります。

コアとなる技術をベースとして、そこから展開していく事業についてどのような枝分かれを考えられるのか。その枝分かれに相当する部分に対しても、特許を考えておく。ゴールから逆算して戦略を描くのは、ここ数年ビジネスの世界で流行語となりつつある「バックキャスティング」と同じ考え方です。

知財とは未来を描くものです。ぜひゴールから考える知財戦略を、早い段階でとにかく一度立ててみるよう心がけてください。そのためには使えるツールは、何でも試してみてください。スタートアップには、そんな貪欲さも必要です。

弁理士を使い倒せ

弁理士は特許申請のプロ、弁理士に頼まなければ申請手続きはできない。多くの方がこのように考えているのではないでしょうか。またスタートアップの中には、特許を考え始める前の段階では弁理士の存在すら知らないケースもあると思います。仮に名前ぐらいは知っていたとしても、馴染みのない存在であるのは間違いないでしょう。

そもそも弁理士とは、どのような人なのか。私が弁理士試験を受けようとしていた頃、弁理士には法律・技術・英語の三大技能が必須だといわれていました。

けれども、これは20年以上も前の話です。この間に弁理士の世界も大きく変わりました。何より変化の源泉となっているのがＡＩの進化です。たとえば英語に関しては、能力があればよいのは間違いないものの、今では自動翻訳がほとんど補ってくれます。法律についても、調べればわかる時代です。私は弁理士に何より必要な能力は、技術を理解する力、さらにはその技術の展開までを先読みできる力だと思います。

あくまでも私の個人的な意見ですが、これからの、特にスタートアップや中小企業を支援する弁理士に求められるのは、ＡＩを使いこなす能力であり、戦略思考だと思います。単に知財に限定するのではなく、知財を元にした起業戦略から事業戦略、さらに開発戦略などでも起業家や中小企業の経営者を支援する。そのためには弁理士自らも、少なくとも事業会社の役員を経験したり、起業体験を持っていたりすると、より的確なアドバイスをできるはずです。

最近、特許庁がＣＩＰＯ（Chief Intellectual Property Officer）という言葉を取り上げています。公認会計士や税理士業界では、企業の経理や財務を司る管理本部長を指すＣＦＯ（Chief Financial Officer）という名称が根付いています。一方で、ＣＩＰＯとは社内における知財戦略担当といった位置付けです。これからの日本、特に中小企業やスタートアップこそ、このような役割を担える人材が必要だという危機感を、特許庁も持ち始めているのだと思います。

ＣＩＰＯに求められるのは、未来予想図を描く能力であり、できるだけロングスパンでの伏線を張る構想力です。さらにスタートアップに限れば、スピーディな判断力も必須だと思います。スタートアップにおいては、特許取得と事業運営は表裏一体の関係で進める必要があります。

付き合う弁理士を見極めた上で、できる限りのタスクは任せてしまい、起業家は起業家として取り組むべき業務に専念する。そんな役割分担が必要だと思います。

中小企業とスタートアップ、特許ポートフォリオについての考え方

特許ポートフォリオとは、保有する特許を体系的に整理したものです。これまでなら特許ポートフォリオを考える必要があるのは大企業であり、中小企業や、ましてやスタートアップはポートフォリオを考える必要はないとされてきました。

けれども、これからは状況が変わってきます。何度も述べているように、中小企業やスタートアップも単一の特許取得では、これからの戦いを乗り切るのは難しいのです。ですから事業戦略に応じた特許ポートフォリオを考えるべきです。

とはいえ、たとえば大企業が日本全体を相手にしているとすると、中小企業が狙うべきは関東平野などの特定領域になります。戦いの場を絞り込み、そこで徹底的に勝った

めの戦略を考える。つまり限定した領域でのパテントマイニングを徹底するのです。

一方、スタートアップは、基本的にイノベーションによりまったく新たなポジションを獲得していくことになります。つまり大企業が日本全体、中小企業が関東地域といったテリトリーを考えるのに対して、スタートアップが狙うのは、たとえば南極だったり、あるいは公海上のような未踏領域です。このような領域においては当面は競合が出てくるおそれはないとはいえ、成功すればいずれ必ず目をつけられます。したがって、いずれは戦場となる可能性を予測した上で、こちらもパテントマイニングを考えておくべきです。

では、特許ポートフォリオを構築するのに必要な特許出願物量作戦を、どのように実施していくべきか。次章では、特許出願に活用できるＡＩを紹介していきます。

第4章

攻めの特許戦略、AIを活用し物量で圧倒せよ

Before AI時代の特許文書作成

特許を申請するには、そのために定められた書類を作らなければなりません。では、そもそも特許文書とは、どのように作成されるものなのでしょうか。まずは弁理士としての私の経験を振り返り、従来の、つまりAI時代以前の特許文書の作成フローを解説しましょう。

発明者から特許を取得したいという相談を受けると、弁理士はまず発明者から、発明についての説明を受けます。次はその内容に基づいて、類似する特許文献を探していきます。一連の作業は、大企業であれば知財部門が担当し、一部の業務を弁理士に依頼するでしょうし、知財部門を持たない企業なら最初から弁理士に依頼します。弁理士が検索する場合は、その発明が該当する技術分野を特定した上で、独自の検索式を作って特許文献のデータベースを検索します。この技術分野の特定と検索式の作成は、弁理士の属人的な能力に大きく左右される部分です。

続いて、検索によって内容が似ていると示された先行特許を一つ一つ読みながら、発明内容と比較していきます。検索結果によって得られた先行特許の数は、多いときには数百件から数千件に及ぶ場合もあります。これらを読み込んだ上で比較する作業には、最短でも数日、参照する特許数が多いときには数週間ほどかかる場合もあります。

これら一連の作業に必要な時間と結果の精度は、各弁理士の経験によって培われた能力によって大きなが差が出ます。ある程度経験を積んだ弁理士なら、各自が特有の「特許性に関する直感的把握力」を備えています。この直感的把握力こそは、まさに各弁理士のノウハウの塊であり、しかも暗黙知であるため文書化できないものです。

ともあれ、この直感に基づいて「もっと類似特許が見つかるはずだ」と判断するケースがあります。あるいは検索結果に「発明のアイデアとは関係のない先行特許が多く混じっている」と気づく場合もあります。そのようなときには検索結果を疑い、検索式をもう一度作り直して再び検索をかけます。これぐらい慎重に調べないと、発明が特許に値するかどうかを正しく判断できないのです。

こうして先行特許を念入りに読んでいきながら、発明のアイデアと似ている特許が見つかった場合は、その特許文献とアイデアを比較します。仮にアイデアとほぼ同じ内容の先行特許がある場合は、残念ながらその発明には「新規性がないため特許取得はできない」と判断します。あるいは複数の先行特許を組み合わせれば発明のアイデアを再現できる場合にも「進歩性がないので特許取得はできない」と判断します。

一連のプロセスを経て、発明の新規性と進歩性が認められ、特許として成立すると判断すると、特許出願書類の作成へと進みます。特許出願書類は次の5つの項目によって構成されます。

1. 権利範囲を定める「特許請求の範囲（請求項またはクレームとも呼ばれます）」
2. 発明の詳細を説明する「明細書」
3. 発明の要点を記載する「要約書」
4. 発明の説明をわかりやすくする「図面」
5. 出願人や発明者を記した「願書」

ちなみに特許性を判断する際によく使われるクレームチャートとは、上記の特許請求の範囲を定めたクレームに記載された内容を整理するためのチャートです。

弁理士は、発明の内容に基づいて慎重に調査をした上で特許性があると判断すると、その内容に応じて、まず「特許の請求範囲」を作成します。たとえば、背もたれを持つ4本脚の回転椅子が世の中にまだ存在していないとして、そのような椅子を発明したとします。

この回転椅子について特許請求の範囲を請求すると、次のようになります。この際に特許請求の範囲（請求項）の各構成を分けたものを構成要件といい、説明のために請求項1に構成要件（A）～（C）と記しました。

【書類名】特許請求の範囲

【請求項1】

（A）ユーザの背中をもたれかけるための背もたれ部と、

（B）前記背もたれ部に対して垂直に付加された、ユーザの尻を支える丸型の回転する座部と、

（C）前記座部に4本の脚を付加した脚部を有する椅子。

この請求項1に対して、先行特許にある主引例が次のようなものだったとします。

「4本脚から成る四角の座部を有し、背もたれ部を備える学習机と椅子のセット」

この場合、請求項1と主引例の一致点は、4本の脚と、座部と、背もたれ部を持つこととなります。

一方で相違点は、構成要件（B）の座部が丸型で回転する部分です。ここで主引例に

椅子を例にしたクレームチャート

発明の構成要件	主引例	副引例
(A) ユーザーの背中をもたれかけるための背もたれ部と、	[一致点] 背もたれ部を備える	―――
(B) 前記背もたれ部に対して垂直に付加された、ユーザーの尻を支える丸形の回転する座部と、	[一致点] 座部を有する。[相違点] 丸形の回転する座部ではない。	[一致点] 丸型の回転する座部。
(C) 前記座部に4本の脚を付加した脚部を有する椅子。	[一致点] 4本脚から成る座部を有する。	[一致点] 4本脚から成る丸形の座部を有する。

加えて副引例が存在するとして、引用発明2に、4本脚で回転する丸型の椅子という発明があった場合はどうなるでしょうか。

主引例と副引例は同じ椅子という技術分野の関連性があるので、引用発明1と2は組み合わせることができます。したがって請求項1と、主引例の相違点である「座部が丸型で回転する」構成要件は、副引例の構成要件により充足できることになります。

その結果、請求項1に係る発明は、主引例と副引例に基づき、進歩性がないと判断されます。このように弁理士はクレームチャートを作成して、発明と先行特許の一致点と相違点を整理して、進歩性の判断を可視化しているのです。この例の場合、仮に副引例（引用発明2に相当するもの）を見つけられなかったら、相違点は充足されず、進歩性が肯定されます。

続いて「明細書」の作成へと進みますが、このプロセスで弁理士の経験とノウハウが活かされます。つまり発明者から聞き取った内容をそのまま書くのではなく、先行特許を読み取って得られた知見に基づいて、より新規性と進歩性が際立つように、修正を加えたり文章を追加したりするのです。もちろん「明細書」だけを変更するのではなく「明細書」を変更すれば、それと整合性を取れるよう「特許請求の範囲」についても適宜変更を加えていきます。

「特許請求の範囲」で何より大切なのは、新規性と進歩性のアピールです。一方で「明細書」については、特許審査に堪えられるような多面的・多角的な説明が必要です。

一連のプロセスを踏まえて作成した特許出願書類を発明者に確認してもらい、必要に応じて修正などを加えて、書類として確定した段階でようやく特許庁への出願となります。

特許出願には、どれだけ専門的知識と経験を必要とするかを理解してもらえたのではないでしょうか。この専門的知識と経験は、弁理士によって異なる属人的な能力です。

従来からの弁理士の特許書類作成

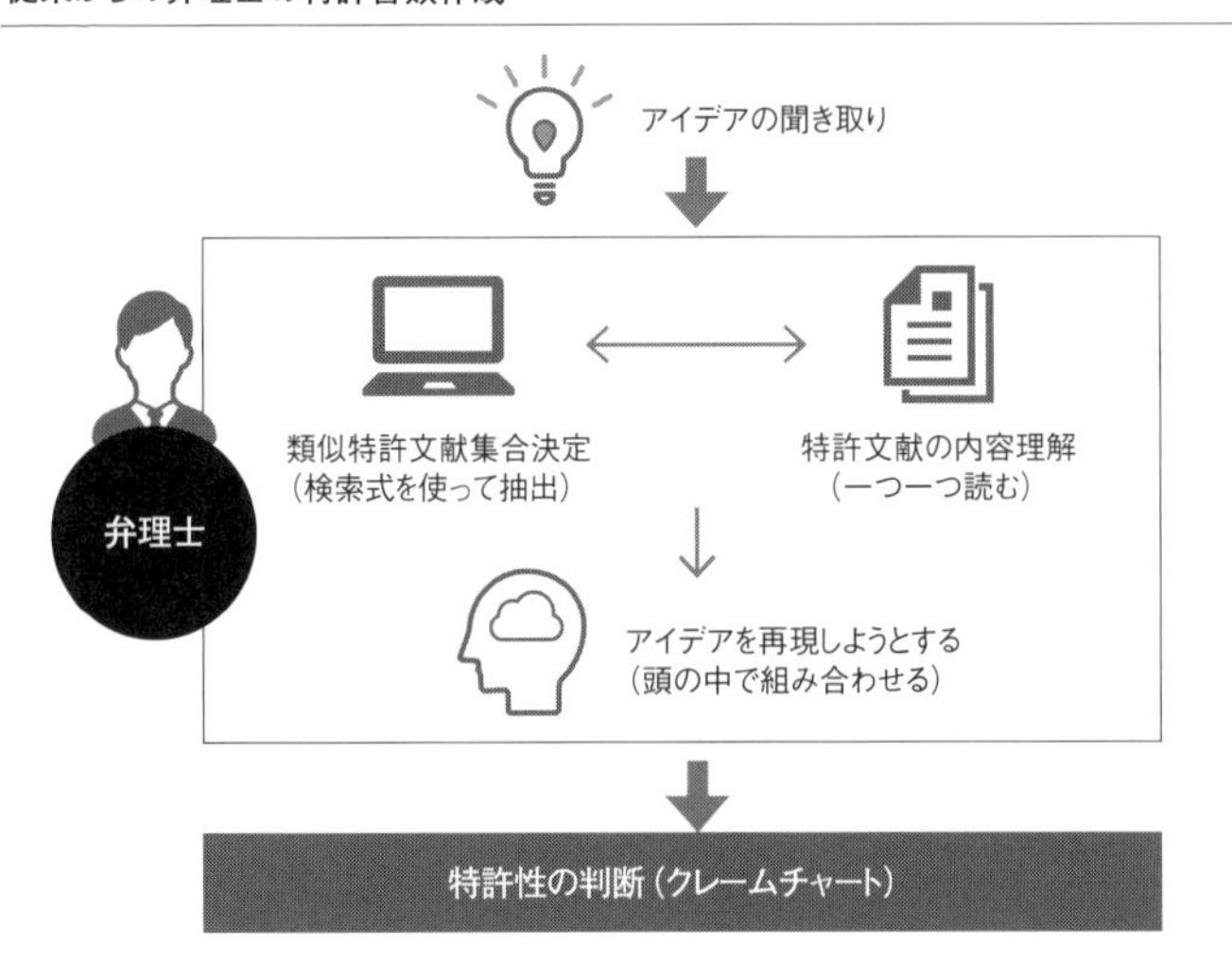

中でも「特許性に関する直感的把握力」は、先述したように、弁理士が特許申請の経験を重ねていく中でしか獲得できない暗黙知です。どれだけ多くの特許文献を、どれだけ深く読み込んできたかによって、その能力は大きく左右されます。もとより発明者には、このような能力は基本的にありません。あくまでも特許申請のプロセスに数多く関わる中で培われる能力であり、弁理士のほかに身に付けているとすれば、大企業で知財に関わるベテランスタッフぐらいでしょう。

After AI時代の特許文書作成１
～特許関連の情報検索～

特許申請といえば、まず弁理士にしかできない業務であり、しかも弁理士の経験知によって差が出る業務でもある。さらに経験豊富な弁理士でも、特許出願書類作成に至るまでには、それなりに時間がかかる。

これが以前、すなわちＡＩ特許申請ができる前の状況でした。ところが、特許申請に関わる一連の作業を、ＡＩが大きく変えつつあります。いったい、何がどのように変わっているのか。実はとんでもないパラダイムシフトが現在進行中です。ここからはＡＩ以降、すなわちＡＩによって予測もできないような変化を遂げつつある特許申請プロセスを説明していきます。

まず特許検索システムが、格段に使いやすくなりました。日本で初めて特許情報のオンライン検索システムが登場したのは１９７８年でした。１９９９年には特許庁が無料検索サービス「特許電子図書館（ＩＰＤＬ）」の提供を始め、これは２０１９年に特許情報プラットフォーム「J-PlatPat」と改称されています。この検索サービス提供に伴い、検索結果を活用しての特許評価や特許群を調べるためのソフトウェアも多数作られてきています。アメリカでは2005年頃から、投資や特許の売買の有効性を示すために特許スコアを数値化して表示するソフトウェアが開発されていました。このソフトを開発したのは、知的財産を専門とするアメリカ弁護士の組織「OceanTomo」です。また、この頃よりアメリカだけでなく日本、韓国、ヨーロッパ、シンガポールで特許評価の可視化を図る、いわゆる特許マップを生成する技術が進みました。2021年には時価総額が10億米ドル以上のユニコーンとなるベンチャー企業・PatSnapも登場しています。

そんな流れの中で私も、第2章で紹介した「IP LANDSCAPE 特許検索」を開発しました。中小企業やスタートアップを支援したいとの思いで開発した特許検索ツールなので、無料で利用できます。

使い方は簡単で、発明に関連するキーワードや文書を入力するだけで、リアルタイムで検索結果が表示されるインクリメンタルサーチ方式を採用しています。キーワードを少し変えれば、異なる検索結果が瞬時に表示されます。しかもキーワードを含む文献が

IP LANDSCAPE特許検索の表示

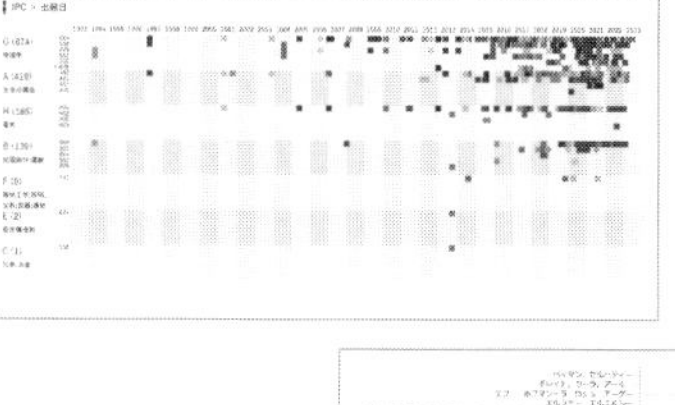

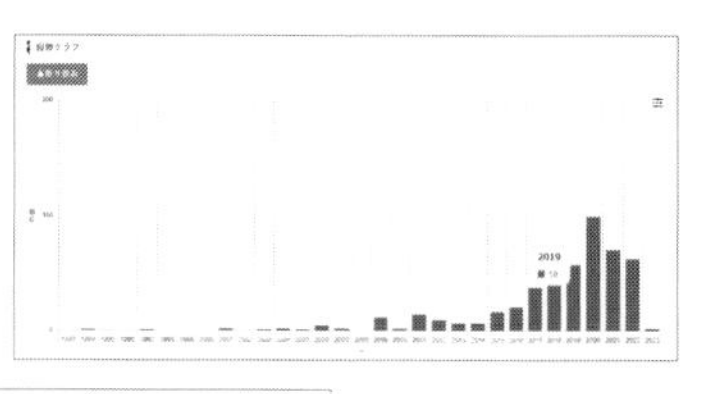

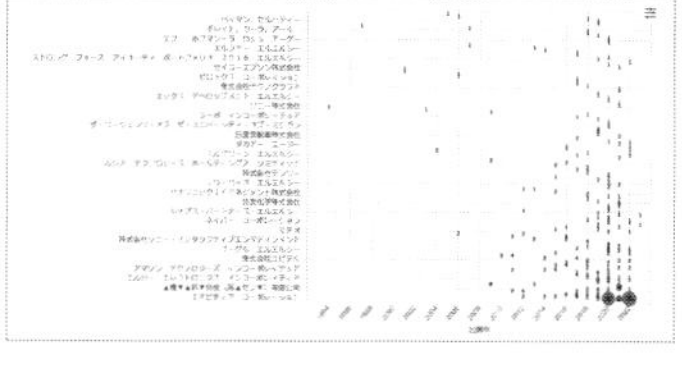

俯瞰図で表示されるので、特定技術の動向から競合他社の出願傾向などのトレンドを直感的に理解できます。また入力したキーワードに対しては類義語が提示されるので、それを手がかりとしてさらに検索を繰り返していけば、より網羅的な調査が可能となります。

２０２２年のバージョンアップでは可視化を徹底し、従来の特許マップに加えて、バブルチャート、棒グラフ、折れ線グラフなどを表示できるようにしました。検索でヒットした特許文献はリスト形式で表示され、文献名をクリックすると書誌情報や文献全文を読めるようになっています。

ＩＰ ＬＡＮＤＳＣＡＰＥ 特許検索に限らず、このような検索ツールを使いこなせるようになれば、まず技術調査と競合分析を容易に行えるようになります。また特許の出願動向や技術トレンドを把握した上で、自社の特許マップを作成し、特許ポートフォリオを可視化できるようにもなります。その結果、特許の空白領域が明らかになれば、そこでパテントマイニングを徹底するのです。

さらにお気づきの方もおられると思いますが、検索結果を見ながらアイデアを練り直せるだけでなく、ちょっと思いついたアイデアを入力して検索結果を見ていけば、新たなアイデア創出にも使えます。

After AI時代の特許文書作成2
～特許取得の可能性評価～

何らかの発明を思いつき、そのアイデアに関する特許情報を集めて分析できるようになれば、次は発明が特許に値するかどうかを評価できるとより便利になる、ぜひそうならないものか……。誰もが考えるごく自然な望みだと思います。この望みを叶えるために開発したのがＡＩ特許評価システムです。

ブラウザから利用できるＡＩ特許評価システムで、アイデアを文章化して入力すれば1分以内で、特許として権利化できる可能性をA、B、C、Dの4ランクで評価して提示します。特許性の高いものがA、特許性がある程度の水準以上のものがB、特許性が水準以下のものがC、特許性が低いものはDと評価されます。

単に評価結果を示すだけでなく、評価の根拠も表示されます。すなわち入力したアイデアの文章を要件ごとに分解し類似する文献と対比させて、要件ごとに既存の文献とどの程度一致しているかを表示します。これがクレームチャートです。特許庁の審査官もこのクレームチャートの考え方に基づいて、類似する文献との対比を行い、特許性の要件のうち新規性と進歩性を判断しています。仮にＡＩ特許評価によって、似ている文献が5つ見つかったとします。すると各文献に含まれるどの語句がマッチしたのかが、クレームチャートとして表示されるのです。

ここで少し、このシステムが完成するまでの経緯を振り返っておきます。まず2018年に私がアイデアを最初に思いついた段階では、そもそも特許性を判定するＡＩを作れるのかが疑問視されていました。これはいわば方法論に関する課題であり、要は情報科学の守備範疇で考えればよい。その結果、ＡＩを使った自然言語処理を使って、この課題はクリアしました。こうしてとりあえず特許性を判定するＡＩができた段階で、ＡＩの特許性判定レベルが実用に堪えるレベルなのかどうかを検証しました。

検証の結果、これは使えるとなった段階で、今度は異なる次元の問題が出てきます。技術面ではＡＩが特許性を判定できるとして、その判定結果を現場が受け容れられるのかと問われるようになりました。つまり単なる技術論の段階から、それを使う人の受け止め方へと問題の次元が変わったのです。一応、受け容れられると判断された結果、ではＡＩをどのように活用していけばよいのかが問われるようになります。現状は、まさにこの段階に入っています。

ＡＩ調査の進化をまとめると、まずは類似特許調査に関して、ＩＰ ＬＡＮＤＳＣＡＰＥ特許検索などを活用したキーワード検索から始まりました。それが発明を評価する段階になると、発明は単なるキーワードではなく文章として表現されているので、文章で検索するシステムが必要になります。ここで使われるのが、ＡＩ特許評価システムです。これにより類似特許との一致点や相違点を調べたり、関連特許調査などができます。ここまでできるとクレームチャートを作れるので特許性の判断もできるようになります。

特許性を判断するAI

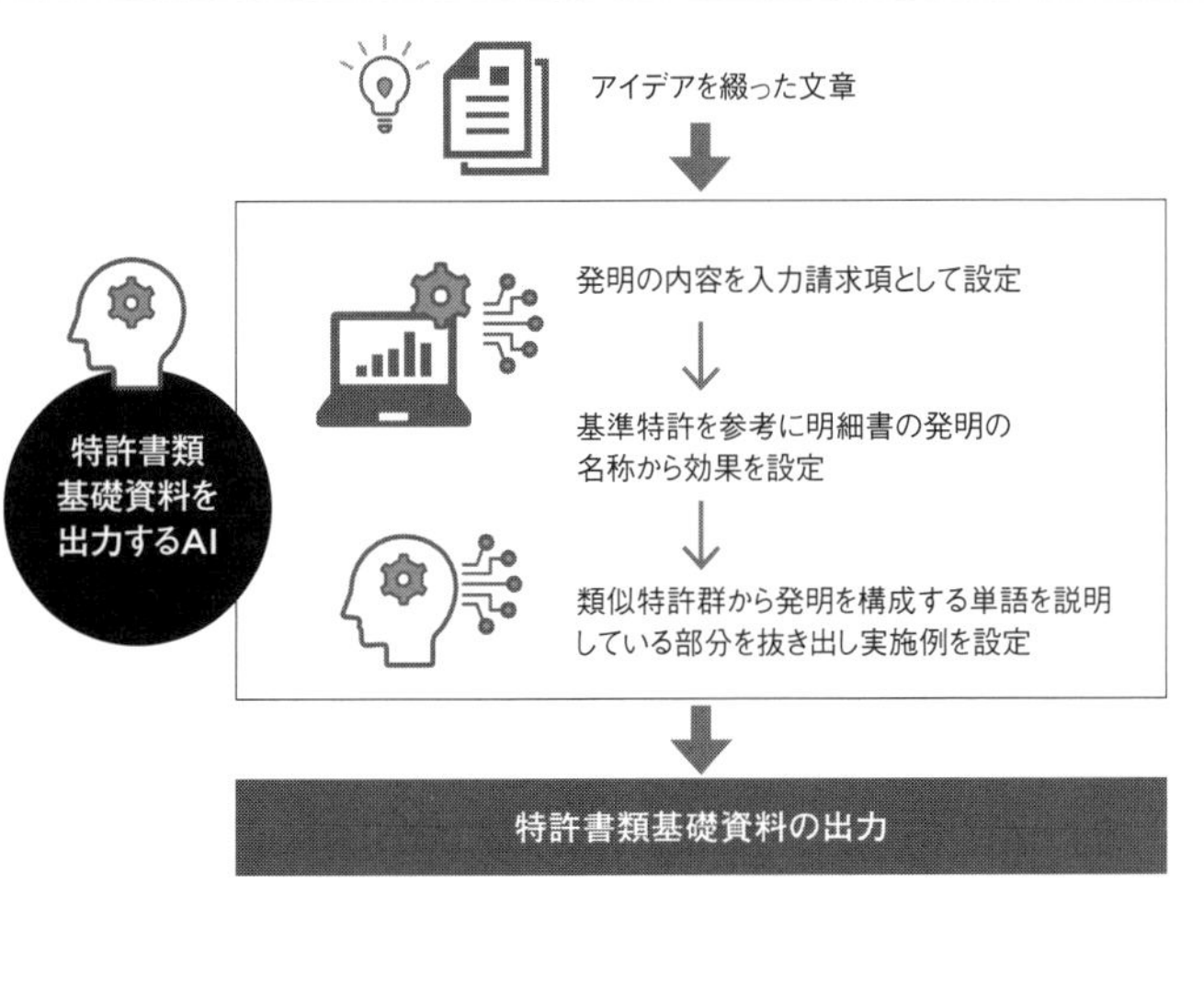
アイデアを綴った文章
発明の内容を入力請求項として設定
基準特許を参考に明細書の発明の名称から効果を設定
類似特許群から発明を構成する単語を説明している部分を抜き出し実施例を設定
特許書類基礎資料を出力するAI
特許書類基礎資料の出力

以前のシステムでは、キーワード検索を中心として類似特許と発明の比較を行い、新規性を判断していました。これに文章検索を加えて、類似特許、関連特許の考え方なども踏まえた上で、進歩性の程度や論理的な裏付けまでを調査できるようにしました。これが現状のＡＩ特許評価システムです。

このようなプロセスを経て、特許検索に加えて特許評価までできるようになりました。となるとその先、つまり特許出願書類もＡＩが書いてくれるようになるのではないか。とても気になるところです。

After AI時代の特許文書作成3
〜特許文書の作成から出願まで〜

以前から特許文書の作成を支援するシステムはありました。その一例が、事前に用意されたデータベースを活用し、そこから使えそうな用語などを見つけて、半自動で入力支援してくれるシステムです。あるいはアメリカで開発された「Specifio」も特許出願書類の自動作成ツールです。このツールを使えば、クレームはもとより英文で数千文字の明細書、さらにはフローチャートなどの図面も自動生成してくれます。とはいえ、これらのツールは自由度が低く、多種多様な実施例の柔軟な作成まではできませんでした。

こうした問題を解消するために開発したのがAI特許文書作成システムで、クレームと特許データを入力すると、約3分で数千から数万文字から成る特許文書を作成するシステムです。

このAI特許文書作成システムでは、まず発明者自らもしくは弁理士が、発明者の考えたアイデアを文書化し、その発明文を「発明の内容」欄に入力します。次にアイデアに最も近いと思われる先行技術文献となる「基準特許」と、数十から数百件以内の公開された特許文献の集合である「類似特許群」の３つのデータを入力します。これで作業は完了、少し待っているだけで、システムが自動的に特許文書を作成してくれるのです。

もう少し詳しく説明すると、最初に入力する「発明の内容」が仮の請求項となります。続いて「基準特許」に基づいて特許書類の明細書に関する前半部分の説明、具体的には、基準特許の記載を用いて、発明の名称から発明の効果までが自動的に作成されます。その上で「類似特許」群の中から、「発明の内容」を構成している単語を説明している部分を抜き出して追加します。

この場合の基準特許については、２種類の入力方法があります。一つは公開されている先行特許文献の基準特許番号を入力するやり方で、これを公開特許型と呼びます。もう一つは、未公開の特許出願済みデータをワード文書またはＨＴＭＬ形式で入力するやり方で、これは未公開特許型と呼びます。

このシステムの公開特許型では、基準特許の明細書の前半部分である、発明の名称から発明の効果までに記されている内容をＡＩが利用します。一方で未公開特許型では、

AI時代の特許文書作成

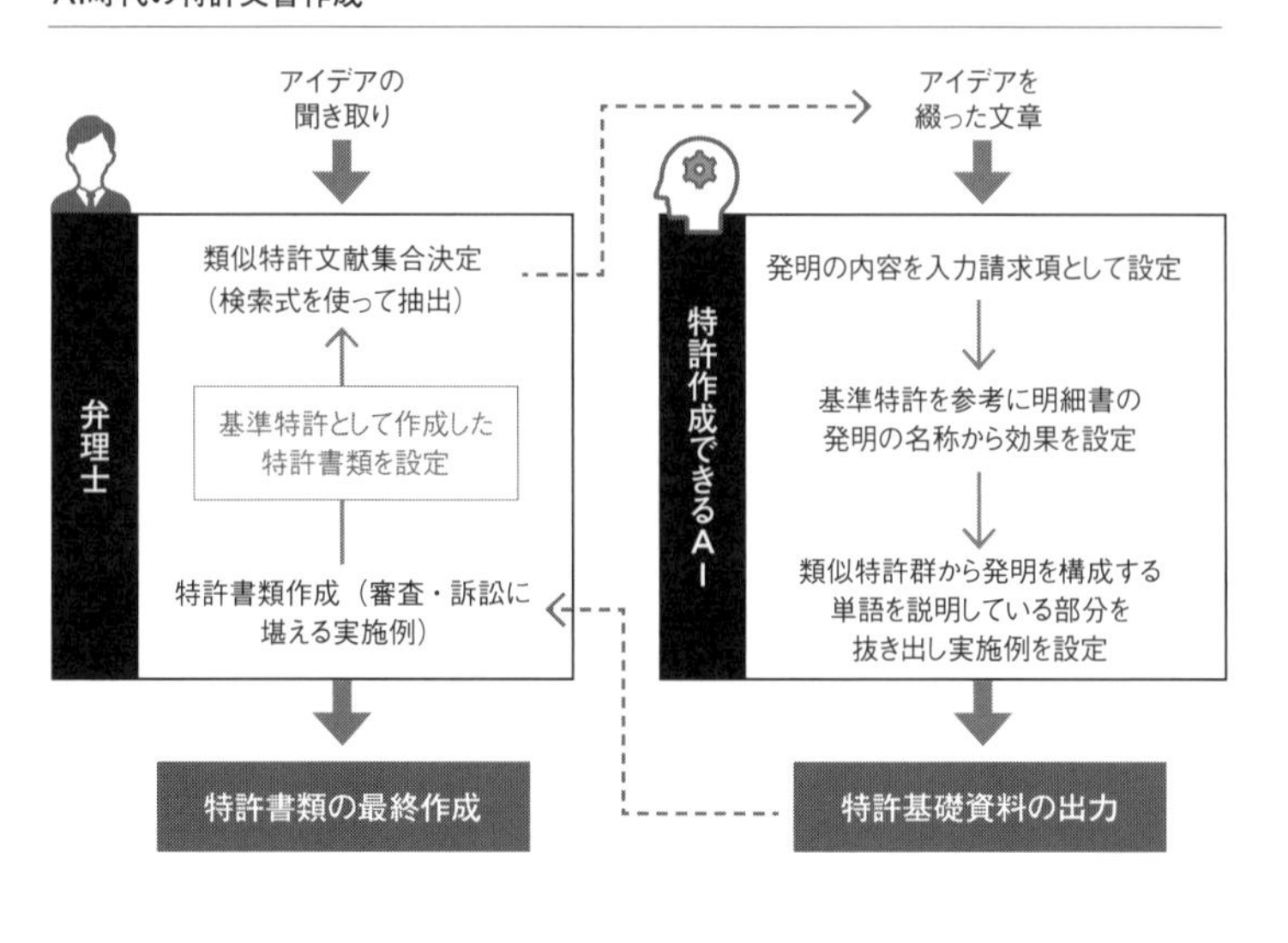

基準特許の明細書において、新規性や進歩性の高い実施例が多く含まれています。そのため発明の名称から発明の効果に加えて、発明の詳細説明もそのまま援用して記述します。

実施例の素材となる数十から数百件の類似特許群から明細書の出力までは、次のプロセスを経て完成されます。まずユーザーが入力した発明内容から、それを構成する単語に分割していきます。この単語を参照しながら、類似特許群において各単語の説明をしている部分を抽出し、発明を実施するための形態に加工して明細書として出力します。

さらにユーザーが希望する単語について

は、詳細な説明を追加できるように「実施例に説明を追加する用語」の入力欄が設定されています。ここに入力された用語に対する重み付けを高く設定すると、類似特許群での説明箇所が積極的に記載されるのです。

ＡＩ特許文書作成システムを使えば、このようなプロセスを経て、特許文書を自動でひと通り作成できるようになります。とはいえ、当然適切ではない部分もあるので、完成したテキストに対する編集機能が備えられていて、ワード文書へのエクスポートもできる仕様となっています。また、このシステムで作成された文書は、あくまでも特許書類基礎資料であり、そのまま特許庁へ提出する完成資料ではありません。

この特許書類基礎資料に対して、弁理士が修正を加えて最終チェックしたものが、正式な特許出願書類として特許庁へ提出されます。提出前に弁理士は、この発明の将来の発展性を予想してさまざまな具体例を追加したり、内容についての整合性に問題ないよう調整を行います。

After AI時代の特許文書作成4

〜AIと弁理士の協働により特許文書の質を高める〜

ＡＩ特許文書作成システムを活用すれば、特許書類をより迅速に、しかもより正確に作成できるようになります。とはいえ、すべてをＡＩ任せにできるかといえば、今のところ（あくまでも、この原稿を書いている時点ですが）そこまではできません。

ＡＩ特許文書作成システムは、特許書類基礎資料の作成までは、ごく短時間で作り上げてくれます。けれども、それをそのまま特許出願書類として提出できるわけではありません。特許書類基礎資料を読み解き、特許請求の範囲の妥当性をチェックするのは、依然として弁理士の仕事です。また明細書が審査や訴訟に耐える実施例として十分かどうかを判定する必要もあります。仮に不十分だと弁理士が判定した場合は、弁理士が修正して再度文章化して入力する必要があります。

このように弁理士とＡＩの協働作業の前提となるのが、各弁理士が個別に持っている「特許性に関する直感的把握力」です。この能力を活用する試行錯誤のプロセスは、おそらく今後も必要であり続けるでしょう。ただし今後、特許出願に際してＡＩの活用が進んでいくと、特許出願のあり方が変わる可能性が高いと考えられます。

そもそも特許出願においては、出願の早さと出願内容の充実が重視されます。すなわち、いかに早く特許出願するかが重要であり、同時に新規性と進歩性の観点から特許の質の充実が求められるのです。

現時点で特許出願については、ＡＩ出願型と弁理士出願型、ＡＩ・弁理士協働型の３つのやり方があります。この３つの出願方法の違いは次のようになります。

発明者の発明内容をαとし、従来通り弁理士がＡＩ特許文書作成システムなどを使わず、αをベースに特許書類βを作成する場合を考えます。作成に要する時間は、最低でも１カ月ぐらいかかりますが、この「弁理士出願型」の内容の充実度と完成度は、それなりに高くなると考えられます。

これに対して、発明内容αをベースとして、特許基礎資料に基づいてＡＩ特許文書作成システムによって作成された詳細説明を$\gamma 1$とします。この$\alpha + \gamma 1$から成る特許書類「ＡＩ出願型」は、特許基礎資料が３分で作成されるため、出願までの日数は弁理士が作成していた場合と比べれば、大幅に短縮されるでしょう。もちろん出願前には弁理

AI時代の特許出願の質

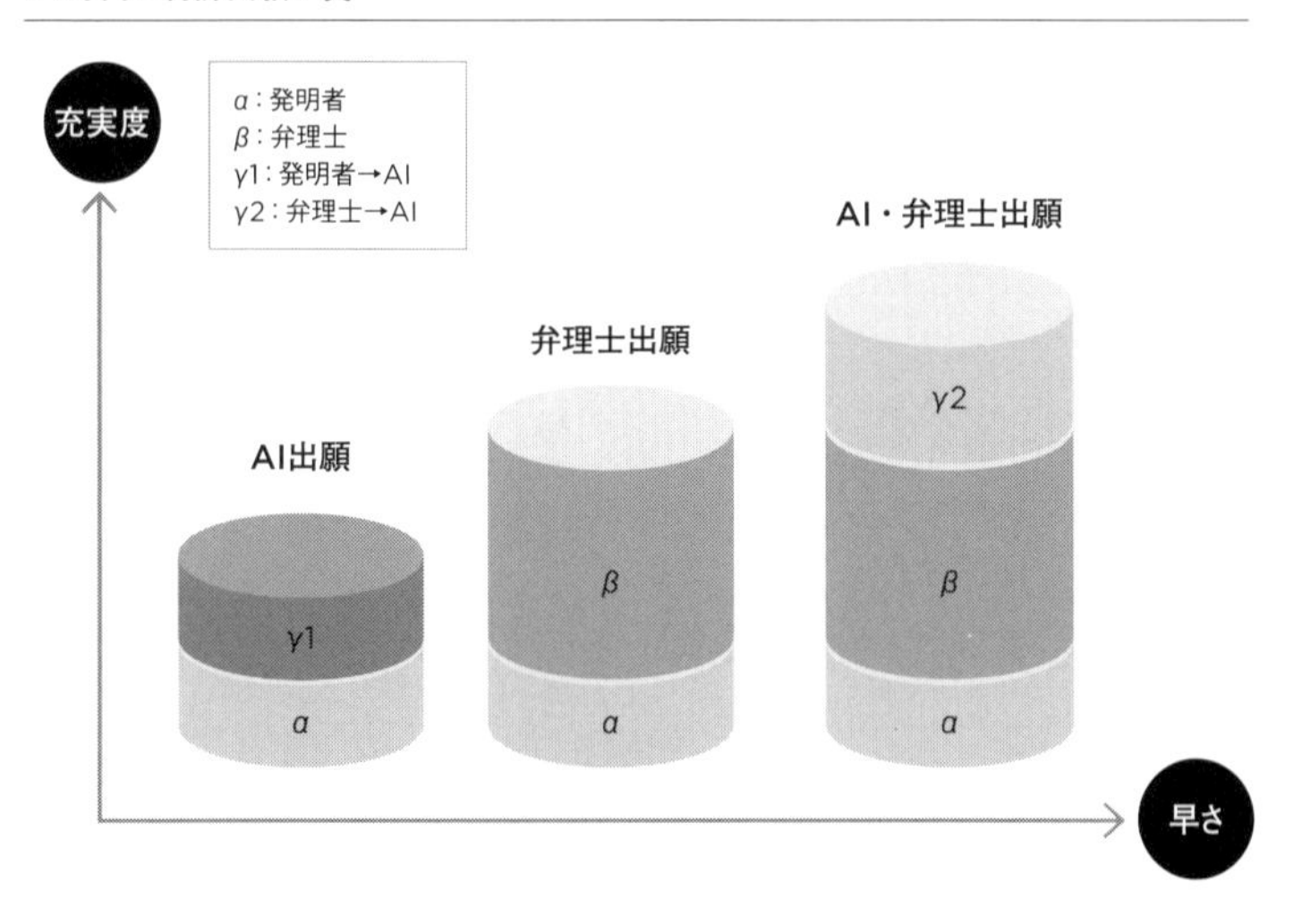

士がひと通りチェックします。とはいえ出願内容の質や完成度はそれほど高くないと考えられます。

もう一点、弁理士が作成した特許書類βを元に、ＡＩ特許文書作成システムを活用して、発明の詳細説明を加えたものをγ2とします。$\alpha+\beta+\gamma 2$の特許書類は、弁理士が人力で時間をかけて作成した書類に、さらにシステム処理を加えるため、出願日は最も遅くなります。けれども、弁理士がγ2をさらに参照して修正などを追加すれば、特許書類の完成度はより高まります。これが「ＡＩ・弁理士協働型」の特許書類です。

After AI時代の特許文書作成5
〜AIと弁理士の協働により特許出願の数を増やす〜

ここまで述べてきたように、ＡＩを活用して特許検索、特許評価から特許作成までを行えば、どのようなメリットが得られるでしょうか。

最大のメリットは、特許出願をこれまでより大幅に増やせることです。しかも従来のように大企業中心の特許出願ではなく、中小企業やスタートアップでも、どんどん特許を出せるようになります。

まずＡＩ活用によって得られるメリットを整理すると、次の５つが挙げられます。

1. 先願権の早期確保（仮出願のような利用が可能です）
2. 発明の詳細内容の充実
3. 出願件数を増やして未来のポートフォリオを強化
4. 公開目的の出願利用
5. ＩＰＬＡＮＤＳＣＡＰＥ特許検索からアイデアレベルの特許出願

先に説明した「ＡＩ出願型」を使えば、特許出願を大幅にスピードアップできます。ＡＩ出願型なら、アイデアを思いついた当日の出願も可能です。このスピード感は、日本のような先願主義（複数の人が同じ発明をした場合、最初に出願した人が特許を取得できる制度）のもとでは極めて有効な武器となります。

特許に関しては、先願主義のほかに先発明主義、すなわち先に発明したものが特許を受ける権利を持つとする考え方もあります。ＡＩ出願型を活用すれば、先願主義の日本にいながら、発明から出願までの日数を最短にすることで、先発明主義と同じような権利確保が可能となります。ちなみにアメリカでは仮出願制度が認められていて、正式に特許出願する前に仮出願をして発明の早期出願権を確保できます。日本では今のところ、このような制度はありませんが、ＡＩ出願型の活用により実質的に早期出願権確保の可能性が出てきます。

またＩＰ ＬＡＮＤＳＣＡＰＥ特許検索を活用すれば、特許出願の増えている分野で、まだ出願されていない技術の空白領域を見つけられる可能性もあります。その領域でアイデアレベルでもよいので特許になりそうなネタを思いつけば、ＡＩ出願型を利用して、直ちにそのアイデアを特許出願できます。まさにブレストレベルのアイデア会議

技術の空白領域を狙う

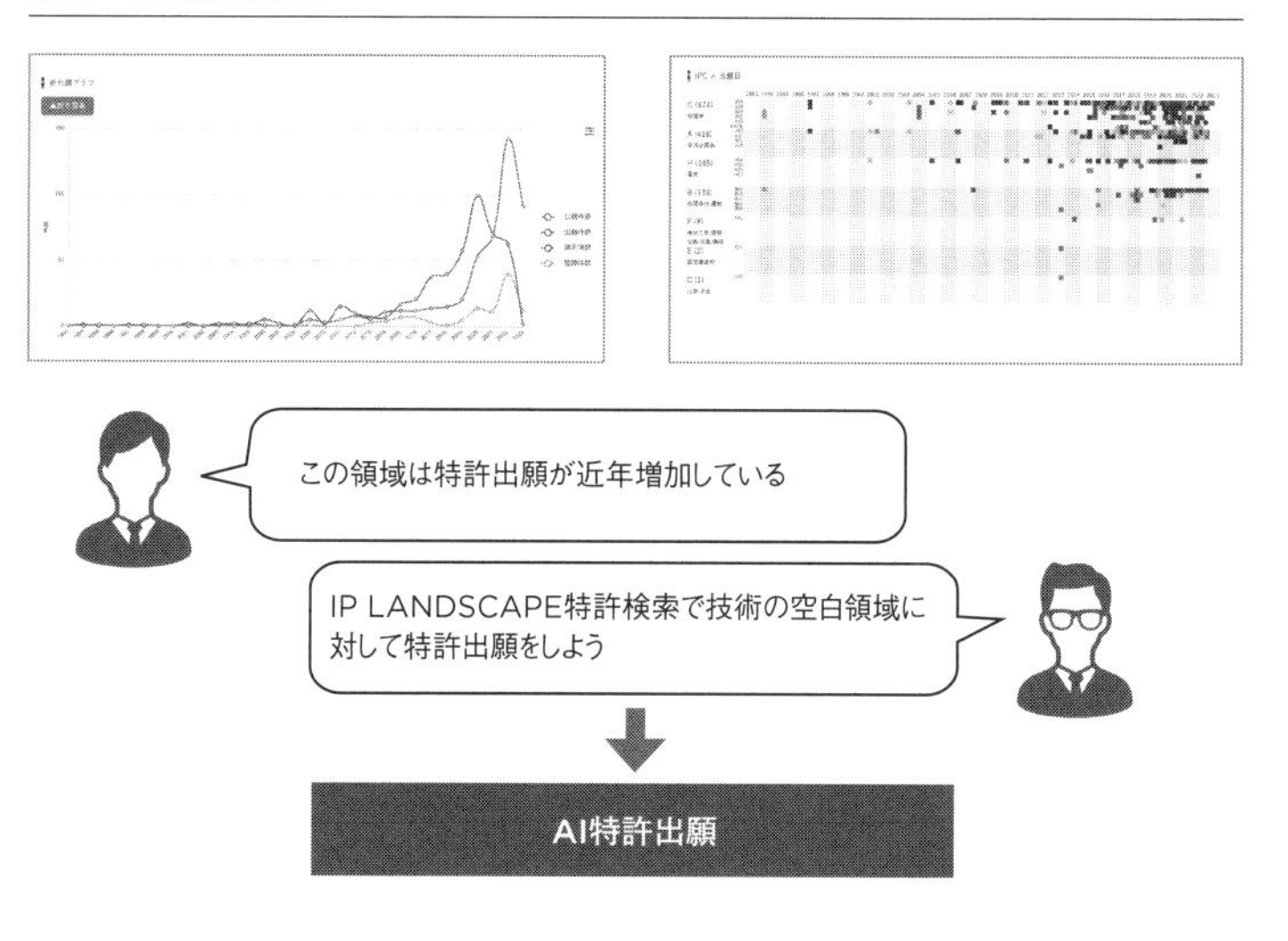

この領域は特許出願が近年増加している
IP LANDSCAPE特許検索で技術の空白領域に対して特許出願をしよう
AI特許出願

を行って、その結果を速攻で特許出願する。このやり方が普及すれば、日本の特許出願数を一気に増やせる可能性があります。

もとよりこのようなアイデア会議は、以前から行われてきました。発明者と弁理士がディスカッションしながらアイデアを生み出して、特許出願を目指すミーティングです。発明者のアイデアに特許性が低い場合には、ブレストを行ってアイデアを改良します。

ただし、以前は特許性が高いかどうかの判断、つまり特許調査に時間がかかりました。けれども、このアイデア会議にＡＩ特許評価とＡＩ特許文書作成を持ち込めば、状況は一変します。

まずＡＩ特許評価により、アイデア会議を行いながら、出てきたアイデアの特許性をリアルタイムで判断できます。その結果、検討できるアイデアの数を飛躍的に増やせます。またアイデア会議の効率も大幅に高められます。会議中に出てきたアイデアに対して評価を行い、Ａ判定となったアイデアについては、これもその場でＡＩ特許文書作成システムを活用できます。つまり直ちに特許書類を作成できます。

あるいは当初はＤ判定だったアイデアに改良を加えた結果、Ｃ判定にまでレベルアップできれば、ブレストを行ってさらなるレベルアップの可能性が出てきます。

After AI時代の特許文書作成6
～AIを活用する特許文書作成の合法性～

それでは、このようなＡＩの活用は、特許申請のプロセスにおいて誰もが認めるものとなるのでしょうか。ＩＰ ＬＡＮＤＳＣＡＰＥ特許検索を活用する検索や、ＡＩ特許評価システムによる評価の合法性については何の問題もないと思います。では、ＡＩ特許文書作成システムに特許文書を作成させた場合は、どのように解釈されるのでしょうか。

結論からいえば、経済産業省から、ＡＩによる特許書類作成行為は弁理士法違反に該当しないとの見解を得ています。

まず弁理士法75条には、次のように記されています。

「弁理士又は特許業務法人でない者は、他人の求めに応じ報酬を得て、特許、実用新案、意匠若しくは商標若しくは国際出願若しくは国際登録出願に関する特許庁における手続若しくは特許、実用新案、意匠若しくは商標に関する異議申立て若しくは裁定に関する経済産業大臣に対する手続についての代理（特許料の納付手続についての代理、特許原簿への登録の申請手続についての代理その他の政令で定めるものを除く。）又はこれらの手続に係る事項に関する鑑定若しくは政令で定める書類若しくは電磁的記録（略）の作成を業とすることができない。」

ここに記されている弁理士又は特許業務法人でない者が作成できない書類とは、特許出願の出願に係る願書、明細書、及び特許請求の範囲です。

特許、実用新案、意匠、商標等に関する出願等の権利発生に直接関わる手続きについては、高度の専門的知識が必要とされます。したがって、まずそれらに関する出願などの手続きを行う者の利益を保護する必要があります。さらに手続きが適正かつ円滑に行われて公共の利益を保護するために、一連の手続きを弁理士の資格を持たない者が行うのを禁止しているのです。

この弁理士法第75条では、ＡＩによる基礎資料作成は想定外となります。そこで「グレーゾーン解消制度」を利用して、問題がないか確認しました。グレーゾーン解消制度とは、産業競争力強化法に基づき、事業者が、現行の規制の適用範囲が不明瞭な場合でも、安心して新事業活動をできるよう、具体的な事業計画に対してあらかじめ規制の有無を確認できる制度です。その結果、経済産業省からは、次のような見解を得ました。

「本件システムを弁理士又は特許業務法人に提供する場合、本件システムが出力する書類データは弁理士又は特許業務法人のみがアクセスできるものであるから、本件システムを用いた書類作成行為は弁理士の監督下で行われており、弁理士法違反とはならないと考えられる。

他方、本件システムを弁理士が在籍する企業又は弁理士が在籍しない企業に提供する場合、本件システムを用いた書類作成行為に弁理士が関与することが確実に担保されるよう、十分かつ客観的な制度的・運用的手当を講じている限りにおいて、当該書類作成行為は弁理士法違反に該当しないと考えられる。

ただし、本件システム利用の具体的態様により、弁理士が書類作成に実質的に関与しておらず、いわゆる『名義貸し』に相当すると認められる場合、本件システムを用いた書類作成行為が弁理士法違反となる可能性がある。」（経済産業省２０２２）

つまり、弁理士の監督下である限り、ＡＩを活用した特許申請には何の問題もないとのお墨付きを得られているのです。

ＡＩ活用が知財強国日本復活のカギを握る

発明者の書いたアイデア説明や、弁理士の書いた特許書類などを元に、ＡＩが特許書類を瞬く間に書いてくれるようになりつつあります。さらにインプットする公開・未公開の特許データにより、ＡＩが多種多様な発明を文章化して出力してくれる可能性もあります。

これまでなら一つの発明に対しては、書ける特許書類も一つに限られていました。けれどもＡＩを活用すれば、一つの発明に対して複数の特許書類を、数分以内に書いてくれる可能性があります。これは従来の一発明一出願主義から、一発明多出願主義への移行が可能になることを意味しています。

しかも、ＡＩの活用は、このレベルに留まらないのです。今まさにＡＩによる特許出願革命が進行中であり、私自身もこの先、どのような世界が展開されるのかが、正確にはまだ見えていません。何が新たな特許出願を導くのか。特許申請に新たな可能性を開きつつあるのが生成ＡＩ、２０２３年に入って突如として世界を変えつつあるＣｈａｔＧＰＴです。これが特許の世界にどのような影響を及ぼすのかを次章で考えます。

第5章

AIの活用で日本を再び知財強国に

生成AIが書いた特許文書

第6章で詳しくご紹介しますが、私は子どもたちに特許に親しんでもらうための活動「発明寺子屋®」を行っています。子どもたちを集めて、特許がどのようなものであるのか説明し、みんなに発明のアイデアを出し合ってもらうというものです。優れたアイデアが出てくれば、それを実際に特許申請まで行います。

これまでに行ってきたイベントでは、驚くようなアイデアがいくつも飛び出していて、中には特許取得に至ったケースもいくつかあります。その中の一つが「鉛筆プロテクター」です。鉛筆を机の上から落とすと、床に芯が当たって折れてしまうことがよくあります。そこで発明寺子屋®に参加した小学生が、このようなトラブルを防ぐための発明を考えました。

まずそもそも鉛筆が落ちにくくなるように、削っていない側にクリップを付けます。さらに鉛筆が落ちたときでも、芯のほうが下にならないようクリップにおもりを付けるのです。このアイデアを元に、特許申請のためにまとめられた概要文書が下記です。少し長くなりますが、実際の特許文書の見本として、ざっとご覧ください。

特許申請文書の一例

〈鉛筆プロテクター概要文書〉

- 発明の名称：鉛筆プロテクター
- 発明の目的：鉛筆の落下による芯の折れる問題を改善するための装置を提供する。
- 技術的背景：現行の鉛筆は手から滑り落ちると、大抵芯が折れてしまうという問題がある。芯が折れると鉛筆を再度利用するためには研ぎ直し作業が必要となり、時間と労力を必要とする。
- 発明の内容：本発明は、鉛筆の落下を防止するクリップと、もし落下した際には芯が直接地面に当たらないようにするためのおもりを含む装置、すなわち「鉛筆プロテクター」である。クリップは鉛筆が手から滑り落ちにくくするためのものであり、おもりは鉛筆が落下した際に芯が直接地面に当たらないようにするためのものである。

- 発明の効果：本発明により、鉛筆の芯が折れることを効果的に防ぐことができ、鉛筆使用者の利便性を向上させる。鉛筆が滑り落ちることを防止するとともに、万一落下した場合でも芯が地面に当たらないように保護することが可能となる。

さらに機能詳細についての説明文書は次のようになります。

〈鉛筆プロテクター機能詳細〉

- クリップ：本発明の鍵となる一部であり、直接鉛筆に取り付けることができる。クリップは滑り止めの素材（たとえば、ゴムやシリコン）で作られ、鉛筆をユーザーの手にしっかりと固定する役割を果たす。これにより、ユーザーが鉛筆を誤って落とすリスクを大幅に減らすことができる。また、クリップは簡単に取り付けたり取り外したりでき、様々なサイズの鉛筆に対応できるように調節可能である。

- おもり：おもりはクリップの反対側に配置され、鉛筆が落下した際に芯が直接地面に当たらないようにする機能を果たす。おもりは鉛筆の重心を変え、芯の方向に落ちることを防ぐ。このおもりはクリップ部分と同じく、取り付けや取り外し、重さの調整が可能で、使用者の好みや鉛筆のサイズに応じてカスタマイズ可能である。
- 耐衝撃素材：クリップとおもりは耐衝撃素材（たとえば、ゴムやシリコン）で覆われている。これにより、鉛筆が地面に当たった際の衝撃を吸収し、芯が折れるリスクをさらに低減する。また、この素材はユーザーの手に優しい触感を提供し、長時間の書き物でも快適に使用できる。

続いて、この発明を実施するための形態と産業上の利用可能性は下記のようになります。

〈鉛筆プロテクターの実施形態と利用可能性〉

- 実施形態：「鉛筆プロテクター」は、調節可能なクリップとおもりを一体化した形状を持つと考えられる。クリップは、サイズや形状にかかわらず様々な鉛筆に取り付け可能な設計が望ましい。また、おもりは鉛筆の末端に取り付けられ、鉛筆の重心を調節する。おもり部分は、鉛筆が落下した場合でも、芯が地面に当たらずに衝撃を吸収するように設計されている。クリップとおもりは、ユーザーが快適に握れるように、ソフトな素材（例：ゴム、シリコンなど）で作られる可能性がある。
- 産業上の利用可能性：「鉛筆プロテクター」は、教育産業やオフィス用品産業での利用が考えられる。学生や教職員、オフィスワーカーなどが鉛筆を用いる場面では、芯が折れるという問題は非常に一般的であり、この発明はその解決策となり得る。

また、特に芸術家や設計者など、高価な芸術用鉛筆や専門的なドローイングペンシルを使用するプロフェッショナルにとっては、この発明は資材の保護として非常に有用である。芯の破損を防ぐことにより、これらの高価な筆記具の寿命を延ばすことができる。

さらに、この「鉛筆プロテクター」は、子どもたちが鉛筆を使って学習を始める初期教育の現場でも特に有益である。子どもたちはしばしば鉛筆を落とすため、この装置は教師の時間と労力を節約し、鉛筆の寿命を延ばすことができる。

これらの潜在的な用途は、広範で多様な市場での「鉛筆プロテクター」の商業的成功を示している。

この発明に関して関連性を持つ可能性のある特許分野や先行技術、特許文献は下記のようになります。

〈関連性を持つ可能性のある特許分野〉

- 鉛筆保護装置：鉛筆の芯を保護するための様々な装置やケースがこれまでに特許化されている。これらの文献は芯保護メカニズムの先行技術として参考になる可能性がある。

- 落下防止装置：クリップやホルダーなど、物品を手から落とさないための装置に関する特許も存在する。これらはクリップ機能の開発に関連する可能性がある。
- おもり付き装置：筆記具におもりを付けてバランスを取るための装置やシステムに関する特許も存在する。これらはおもりの配置や重心調整に関連する可能性がある。

〈先行技術文献や特許文献について〉
※私の知識は2021年までのもので、それ以降の情報については把握していません。そのため、特定の「鉛筆プロテクター」に関する先行技術や特許文献を提供することはできません。ただし、特許申請を行う際には、似たような装置や技術に関する先行技術や特許文献を調査することが重要となります。

種明かしをすると、〈鉛筆プロテクター概要文書〉から〈先行技術文献や特許文献について〉まで一連の文書を書いたのは、私ではなく生成ＡＩ、具体的にはＣｈａｔＧＰＴです（一部、表記を修正）。もう少し正確に表現するなら、上記の文章は、私が繰り出した質問に対するＣｈａｔＧＰＴの回答です。ですから最後の〈先行技術文献や特許文献について〉の部分で「私（＝ＣｈａｔＧＰＴ）の知識は２０２１年までのもので、それ以降の情報については把握していません」と断り書きがついているのです。

もちろん、このような生成ＡＩによって書かれた文書をそのまま使って特許申請することは、今のところ考えられません。あくまでもこの文書を参考にしながら、弁理士が最終チェックを行い、ときには全面的な書き直しを含む加筆修正を加えた上で特許申請となります。

ただし、弁理士としてのキャリアが10年を超える私の目から見て、少なくとも「鉛筆プロテクター」について生成ＡＩが書いた特許申請文書は、十分に使えるものと判断できます。唯一のネックがあるとすれば「私の知識は２０２１年までのもの」というデータの限定ですが、これはいくらでも更新可能です。

ＣｈａｔＧＰＴに代表される生成ＡＩが注目され始めたのは、２０２３年に入ってからです。ＣｈａｔＧＰＴの当初のバージョンは3・5、続いて3月にはＧＰＴ－4がリリースされました。私もＣｈａｔＧＰＴが登場した時点で、もしかすると特許申請に使えるかもしれないと考え、ＧＰＴ－3・5を試してみました。けれども、残念ながら当初の感想は「これではちょっと難しいか?」でした。

ところが3月にリリースされたＧＰＴ－4を使ってみて、正直なところ〝たまげ〟ました。その決定的な違いは、飛躍的に増えたパラメーター数によるものです。ＧＰＴ－3・5のパラメーター数が1750億であるのに対して、ＧＰＴ－4のパラメーター数は推測ですが約100兆といわれています。

その結果、何が起こったのか。たとえばアメリカで模擬司法試験を受けさせてみると、ＧＰＴ－4の成績は受験者の上位10％程度のスコアに入り合格可能となったのです。あるいは日本の医師の国家試験についても、ＧＰＴ－4はＧＰＴ－3・5よりも優れた成績で合格レベルに到達しました（出典：Evaluating GPT-4 and ChatGPT on Japanese Medical Licensing Examinations）[*10]。

ＧＰＴ－4は、ＧＰＴ－3・5と比べると非連続的な進化を遂げているのです。これは特許にも使えると受け止めました。攻めの特許戦略、ＡＩを活用して物量で圧倒するのに、生成ＡＩを使わない手はない。そう考え、ではどう活用するのかを考えていきました。

生成ＡＩが弁理士の仕事を変える

ちなみにＣｈａｔＧＰＴに「生成ＡＩは弁理士の仕事をどう変えるのか」と尋ねたところ、次のような回答を返してきました。

ＡＩ（人工知能）は、弁理士の仕事に対して革新的な変化をもたらしています。弁理士が取り組む一連のタスクの多く、具体的にはデータ分析、パターン認識、情報管理などについては、ＡＩ技術によって効率化される可能性があります。

最も重要な影響の一つは、特許検索と分析です。特許文献は巨大で複雑なデータセットを形成しており、弁理士はクライアントの発明が既存の特許と重複していないこと、または新規性、進歩性、産業上の利用可能性があることを確認するためにこれらのデータを詳細に調査する必要があります。ＡＩはこのプロセスを高度に自動化し、弁理士が特許データベースをより迅速かつ正確に検索できるようにします。

さらに、ＡＩは特許請求書の作成にも役立ちます。特許請求書の作成は高度に専門的で緻密なスキルを必要としますが、ＡＩは弁理士が関連する法的要件を満たすための適切な言語と構造を確立するのを支援します。ＡＩはさまざまな特許の言語パターンを学習し、弁理士が効果的な特許請求を作成するのを支援するための提示や提案を提供します。

一方、弁理士の判断を補完する形で、ＡＩは審査プロセスを支援します。ＡＩは特許審査に必要な情報を収集し、特許の有効性や強度を評価するのに役立ちます。ＡＩは適切な情報を素早く探し出し、分析することで、弁理士がより確実な決定を下すのを助けます。

しかし、ＡＩは法的な解釈や倫理的な判断を必要とする複雑な課題に対しては、人間の弁理士が持つ洞察力、経験、直感に及ぶことはまだ難しいです。ＡＩはツールとしての役割が強調され、最終的な意思決定や解釈は弁理士が担当します。

以上のように、ＡＩは弁理士の仕事を大幅に助けることが可能ですが、依然として弁理士自身の専門知識や判断力が必要となる部分は多く存在します。ＡＩの発展は、弁理士がより高度な問題解決に集中し、より効率的に、かつ正確に仕事を進めることを可能にします。

ここでＣｈａｔＧＰＴが指摘している「最も重要な影響の一つは、特許検索と分析」についいては、前章で紹介したように、すでに私はＡＩを実用化しています。また「特許請求の作成にも役立つ」点についいては、先に紹介した「鉛筆プロテクター」の事例でご理解いただけるでしょう。

生成ＡＩをうまく活用すれば、弁理士の仕事は大きく変わります。もちろん大企業の開発・知財部門、発明家やスタートアップ、中小企業でも何か面白いアイデアを思いついたところなどは、一気に特許が身近なものとなっていくはずです。

生成ＡＩの具体的な活用法

では、発明そのものにも生成ＡＩを活用できるのでしょうか。現時点でＡＩが、何らかの発明を考え出したりはできません。ＡＩによる発明は、ＡＩが既存のデータの学習によって答えを出すものである限り、原理的に不可能です。

けれども発明プロセスでの活用は十分に可能と考えます。たとえば何らかのアイデアを思いついたら、まずそのアイデアを特許の概要文書としてＣｈａｔＧＰＴに書かせてみればよいのです。できた文書を、前章で紹介したＡＩ特許評価システムに評価させる。その結果に基づいて修正をかける。概要文書をＣｈａｔＧＰＴに書かせるために必要な時間は、わずか3分程度です。これをＡＩ特許評価システムにかけて結果が出る間で必要な時間も、同じく3分程度でしょう。つまり5～6分あれば、アイデアを文書化して評価まで持っていけるのです。

この段階では、アイデアを考えた人はＣｈａｔＧＰＴを相手に、自分の発明をブラッシュアップしていけます。要するに生成ＡＩを、アイデアの壁打ちの相手として使うわけです。相手は人ではないのですから、どんな突飛なアイデアや思いつきをぶつけても、真剣にというかＡＩのロジックに基づいて、真摯に答えを返してくれます。もちろんＡＩの回答は、すでにネット上にあるデータに基づいたものでしかない点には注意が必要です。

けれども、ＡＩが参照するデータは、一人の人間が参照できるスケールをはるかに凌駕しています。ですから、すでにあるデータとはいえ、質問した人がまったく知らなかったことを教えてくれるケースも多々あるはずです。

そのときセレンディピティの起こる可能性が出てきます。もちろん研究者仲間でフリーディスカッションしているときにも、同じような偶然の気づきは期待できます。けれども、人と生成ＡＩを比べれば、どちらの知識量が（生成ＡＩの場合は知識ではなくデータと表現すべきだと思いますが）豊富であるかはいうまでもありません。しかもＡＩは、いつでも嫌な顔をすることなく相手をしてくれます。それこそ歩いているときに何か思いついたら、その場でスマホから質問してもよいのです。

アイデア創出の際のサポーターとして、生成ＡＩは最高のパートナーとなる可能性を秘めています。

鉛筆プロテクターのアイデアについてChatGPTと壁打ちした結果

生成AIを活用するアイデアの壁打ちを、本章の最初で例として紹介した「鉛筆プロテクター」について実際に試してみました。その結果は、次のようになりました。

Q：鉛筆を机の上から落とすと、床に芯が当たって折れてしまうことがよくある。この問題を解決するには、どうしたらよいだろうか？

↓

ChatGPT：鉛筆が落下して芯が折れてしまう問題を解決するためには、以下のような方法が考えられます。

- 鉛筆ホルダーの使用：鉛筆を安定した場所に保管することで、誤って落とすリスクを減らせます。鉛筆ホルダーは、鉛筆が転がり落ちるのを防ぎます。
- クッション素材の使用：作業スペースの床にクッション素材を敷くことで、鉛筆が落ちた際の衝撃を和らげることができます。たとえば、ゴムマットやカーペットなどが考えられます。

- 鉛筆の質を選ぶ：高品質の鉛筆を選ぶことで、芯が折れにくくなることがあります。また、鉛筆の芯の硬さも影響します。硬めの芯（H、2Hなど）は折れにくい傾向にあります。
- 落下防止デバイスの開発：鉛筆が落ちそうになったときに自動的に捕まえる装置などを開発する。これはかなり大掛かりな対策ですが、必要に応じて検討することも可能です。

以上のような対策を試してみてください。ただし、完全に鉛筆の芯が折れない状態を作ることは難しいかもしれません。そのため、ある程度は鉛筆の扱いに注意を払うことも大切です。

この回答を受けて、次のような質問を続けました。

Q：もし、鉛筆に何かを付けることで、重心の位置を変えれば、芯の方から床に落ちないようにできるのではないだろうか。

←
ChatGPT：それは有効な考え方です。鉛筆の重心を変えることで、落下時の鉛筆の向きを制御することは理論的に可能です。

たとえば、鉛筆のエンド（芯から遠い方）に何か重いものを取り付けると、重心がその方向に移動します。その結果、鉛筆が落下するときに、より重いエンドが先に地面に向かって回転する可能性が高くなります。これにより、芯が床に直接当たる確率が低くなるかもしれません。

しかし、実際にこれが機能するかどうかは試してみないとわかりません。また、重量を追加すると鉛筆の使いやすさに影響が出る可能性もあります。バランスを取るために、適度な重さと大きさのものをエンドに取り付けることが重要です。

実験的に試してみるのも良い学習経験になります。しかし、これがどの程度有効な対策であるかは、実際に試してみないとわからない部分も多いです。だからといって、新しいアイデアを試さない理由にはならないと思います。面白い考え方ですね！

さらに質問を投げかけます。

Q：鉛筆のエンドにクッションにもなるようなゴムを取り付けたらどうだろう？

→ChatGPT：鉛筆のエンドにクッション性のあるゴムを取り付けるアイデアは、非常に良いものだと思います。この対策は2つのメリットがあります：

- 重心の変更：ご指摘の通り、エンドに重みを追加することで鉛筆の重心が変わり、芯から落下する確率が低くなる可能性があります。
- 衝撃吸収：落下時の衝撃をゴムが吸収するため、鉛筆の芯が折れるリスクを低減します。

このような製品はすでに存在するかもしれませんが、もし存在しない場合は、新しい製品として市場に投入することも可能です。また、自分で作ることも可能です。一部の鉛筆にはすでにエンドにゴムの消しゴムが取り付けられていますが、それをより大きくて柔らかい素材で覆うなどすれば、自分で作ることもできるでしょう。

ただし、鉛筆のバランスや使いやすさ、そして見た目の美しさなど、他の要素も考慮する必要があります。それらを全て満たすような製品を設計するのは、一定の挑戦を伴うかもしれません。しかし、それは非常に面白いプロジェクトとなり得ます。

さらに質問を続けました。

Q：このアイデアで特許を取れるだろうか？

↓

ChatGPT：特許を取るためには、以下の基本的な要件を満たす必要があります：

- 新規性：あなたの発明は新しいものでなければなりません。つまり、発明日前に公に知られていないものである必要があります。
- 進歩性：発明は、その技術分野の一般的な知識を持つ者から見て明らかではない進歩でなければなりません。
- 産業上の利用可能性：発明は、何らかの形で産業上有用でなければなりません。

あなたのアイデアについて具体的に言えば、鉛筆のエンドにクッション性のあるゴムを取り付けるという発明は新規であり、進歩性があり、産業上の利用可能性があるように思えます。しかし、この発明が実際に新規であるかどうかは、特許事務所が行う先行技術調査により確認されます。すでに同様の発明が存在していた場合、新規性が認められない可能性があります。

したがって、特許を取得する可能性を詳しく知るためには、特許事務所または特許弁護士に相談することをお勧めします。彼らはあなたの発明についての特許の可能性を評価し、必要な手続きを指導してくれます。

ここまでのプロセスでは、こちらが問題を設定して、まず問いかけてみました。ＡＩの答えに対して、特許化や実用化を念頭に置いて、さらに質問を畳みかけていきました。それに対するＡＩの回答に、ぜひ注目ください。基本的に人間のアイデアを肯定的に受け止めて、前向きに検討した（データを探した？）結果を返してくれています。

ＡＩは、こちらのやる気を引き出したり、後押ししてくれたりしました。このような使い方で、アイデアをブラッシュアップし、それを出願に持ち込むことも可能でしょう。

ＡＩは知財戦略に根本的な変化を起こす可能性を秘めています。

弁理士の出願とAIによる出願のテスト結果

ＡＩはアイデア出しに加えて、その結果を特許出願書類にまとめる作業もサポートしてくれます。では、実際にＡＩに出願書類を書かせた場合、特許査定はどうなるのでしょうか。

この問いに答えを得るために、実際にＡＩによる特許出願を行ってみました。その際にはＡＩによる出願に加えて、同じクレームについて弁理士も出願して、結果についての比較検証を行っています。

特許出願のテーマは、私が開発した「ＩＰ ＬＡＮＤＳＣＡＰＥ 特許検索」です。これについて同一のクレームで、弁理士出願（特願２０２１－０９５５１８）については申請書類を弁理士が作成し、ＡＩ出願（特願２０２１－０９５５４０）については、ＡＩ特許文書作成システムで作成した書類を弁理士が修正しています。

どちらも２０２１年６月８日に出願して審査請求したところ、11月２日にいずれに対しても拒絶理由通知が来ました。これに対して12月１日に意見書・補正書をそれぞれ提

弁理士出願の権利化例

弁理士出願（特願2021-095518）

【請求項１】
書誌情報と先行文書情報を備える文書データを複数記憶する文書情報データベースと、
ユーザが操作可能なユーザ端末から送信された一以上の検索キーワードを、検索条件として入力を受け付ける入力部と、
前記検索キーワードの入力を**単語単位で**受け付ける毎に、前記検索キーワードを含む先行文書情報の検索を**前記単語単位で**繰り返し実行する検索実行部と、
前記検索キーワードを含む先行文書情報に対応する書誌情報を上位概念で示す上位概念化情報に基づき、前記文書データそれぞれを俯瞰化する技術俯瞰情報を生成し、当該技術俯瞰情報は、前記検索実行部の検索を繰り返し実行することで、**前記検索の実行に連動して、**技術俯瞰情報を更新する生成部と、
前記**更新された**技術俯瞰情報を、前記ユーザ端末へ出力する出力部と、を備える、技術調査支援装置。

文章・キーワード入力毎に
リアルタイムで検索結果が表示される
インクルメンタルサーチ方式を権利化!

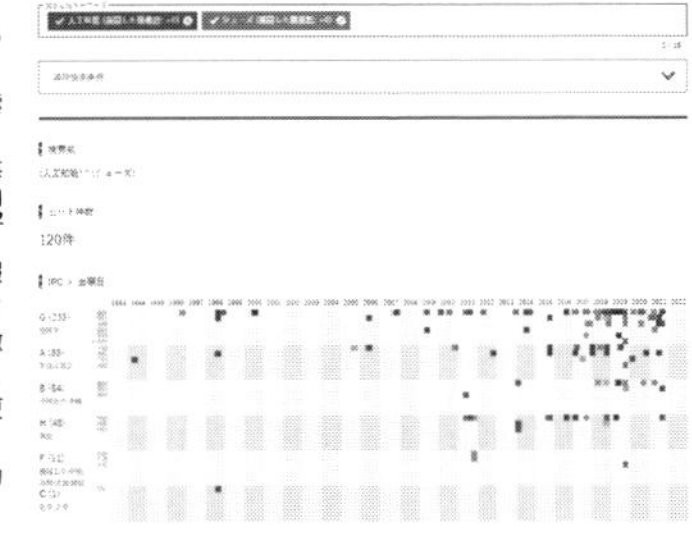

AI出願の権利化例

AI出願（特願2021-95540）

【請求項１】
書誌情報と先行文書情報を備える文書データを複数記憶する文書情報データベースと、
ユーザが操作可能なユーザ端末から送信された一以上の検索キーワードを、検索条件として入力を受け付ける入力部と、
前記検索キーワードの入力を受け付ける毎に、前記検索キーワードを含む先行文書情報の検索を繰り返し実行する検索実行部と、
前記検索キーワードを含む先行文書情報に対応する書誌情報を上位概念で示す上位概念化情報に基づき、前記文書データそれぞれを俯瞰化する技術俯瞰情報を生成し、当該技術俯瞰情報は、前記検索実行部の検索を繰り返し実行することで技術俯瞰情報を更新する生成部と、
前記技術俯瞰情報を前記ユーザ端末へ出力する出力部と、を備えるものであって、
単語を下位概念の単語とし、単語を上位概念の単語として対応付けることによって上位下位シソーラスを作成し、上位下位シソーラスから削除することを可能とする、技術調査支援装置。

特許出願時、シソーラスの作成・削除は弁理士出願には含まれていなかった。
しかし、AI出願では、当該シソーラスの作成・削除に近い実施例を予測・記載する。
そして、権利化！

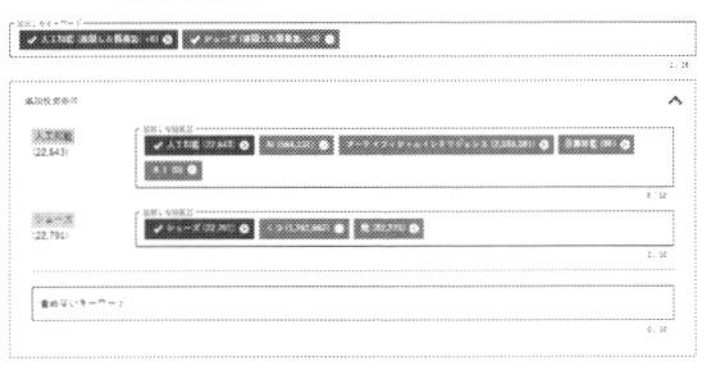

◆ AIによる類語展開
入力したキーワードから類義語候補を提示、編集も可能

弁理士出願（上）とAI出願（下）の内容

出すると、2022年2月1日にどちらの出願に対しても特許査定となりました。

弁理士出願による権利化は、ＩＰ ＬＡＮＤＳＣＡＰＥ 特許検索のインクリメンタルサーチを対象としています。インクリメンタルサーチとは、キーワードを入力するたびに単語単位で検索を行い、検索結果の俯瞰マップが形成される仕組みです。一方のＡＩ出願では、ＩＰ ＬＡＮＤＳＣＡＰＥ 特許検索の類義語（シソーラス）候補を提示し、編集も可能とした点を補正点として訴求し特許となりました。

このテスト事例によって示されたのは、ＡＩの極めて有効かつ実践的な活用法です。つまり特許出願を考えるときには、どうしても発明本質論を追求しがちですが、実際の中間処理、具体的にはクリアランス調査では、自社実施あるいは他社実施の内容についてもクレームの入れ方次第で権利化を狙えます。その際にはＡＩが作成する実施例は、中間処理における極めて強力な武器となり得るのです。ちなみにクリアランス調査とは、自社製品を製造・販売するに際して、他社が登録した特許権などを侵害していないかどうかを確認する調査です。

まとめると、まず先行技術調査をＩＰ ＬＡＮＤＳＣＡＰＥ 特許検索で行います。具体的には発明のアイデアを入力して、類似文献を探すのです。続いてクリアランス調査により、最大で類似特許群をリストアップして分析します。その上でAI特許文書作成システムを活用するのです。つまり発明内容を「請求項」として記載し、その請求項を基準に特許書類を書くための素材として、類似特許のリストを「類似特許群」へアップロードするだけでAIによる特許文書が完成します。

一連の作業に必要な時間は30分ぐらいです。こうしてできあがった書類を読んで、改めてアイデアをブラッシュアップしていく。その際には生成AIも活用できます。発明についての考え方が大きく変わってきます。

こうすると、核となる発明で特許を取るのはもとより、関連する周辺特許までを一気に、短期間に押さえられるようになります。これこそパテントマイニングであり、第2章でお伝えした「シン・ランチェスター戦略」を実践するための強力な武器となります。

AIにより特許作成は、どこまで進化するか

現時点で、特許申請書類作成にどこまでAIを活用できるのでしょうか。生成AIは

AI時代の特許出願の質

特許書類の項目		GPTの適応性	弁理士の関与
特許請求の範囲			発明を不明確に表現する傾向がある
明細書	発明の名称	○	
	技術分野	○	
	背景技術	○	
	先行技術文献	×	必要な先行特許文献の入力が必要
	特許文献発明の概要	-	
	発明が解決しようとする課題	○	
	課題を解決するための手段		特許請求の範囲と同様
	発明の効果	○	
	図面の簡単な説明	×	
	発明を実施するための形態	△	技術的な内容の説明が弱い
	産業上の利用可能性	○	
	符号の説明	×	図面の理解はできない
要約			
願書		○	
図面		×	図面は難しい

質問した内容に対しては、専門家よりもていねいな解説を複数パターン示してくれます。一方で極めて専門的な技術内容の説明や、発明の創作についてはまだ弱い印象があります。現状をまとめると上の表のようになります。ここで問題となるのは、先行技術文献と図面関連、そして発明の実施形態をどう処理するかです。現在のＣｈａｔＧＰＴには先行技術文献の抽出機能がありません。逆にいえば、この機能を何らかの形、たとえばＡＰＩなどで補完すればよいのです。

そこで生成ＡＩが苦手とする項目を補うためにはどうすればよいか。まず弁理士が行っている発明者との対話によるヒアリングを行い、発明の内容を理解する。これを踏まえて実施例を書き込むような生成ＡＩによる特許作成システムを構築してみました。

すなわち通常なら弁理士が、発明者から発明内容についてのヒアリングを繰り返して、先行技術と異なる必須要件をコンセプト化し、これを発明の本質として特許請求の範囲を記載し、具体的な実施例を追記します。この一連のプロセスを生成ＡＩによって行わせるのです。

具体的には、対話型と記述型の２つのやり方があります。

ＡＩによる対話型特許作成

発明者が発明の概要を入力すると、これに関して生成ＡＩが自動的に質問を繰り返してきます。質問に答えていくと、その回答がまとめられ特許書類の文章として落とし込まれていきます。ポイントは、生成ＡＩの手厳しさをいかにフォローするかです。

すなわち弁理士を相手にアイデアを話してブラッシュアップする場合なら、その場の雰囲気や顔色を読んだ弁理士が、発明者からうまく話を引き出します。これに対して生成ＡＩはあくまでもマシンですから、理詰めで容赦ない質問を投げかけてきます。そうなると発明者の心理的負担が大きくなります。

そこで生成ＡＩに質問だけをさせるのではなく、回答案も用意して、発明者が回答を選択した上で追記できるようにします。これにより発明の内容が、まだ定まっていない発明者のアイデアを具体化できます。

ＡＩによる記述型特許作成

発明者が、発明の本質を把握している場合は、実施例の書き込みを生成ＡＩがサポートするシステムがあります。このシステムでは、請求項を入れ、学習セットとなる類似群特許（数十から数百件）をセットして、特許作成のためのバッチ（一括）処理を行います。

請求項の各単語をキーワードとして、これを説明している実施例を生成ＡＩが類似群特許から見つけてきます。その上で請求項の内容に添うように生成ＡＩが、実施例を適切に修正し、実施可能要件を満たすような記載までを行います。

このシステムを活用して自社のアイデアを用いて、自社や他社の類似群特許を入れると、自社や他社による将来実施を予測した特許書類の作成が可能です。しかも類似群特許のデータセットを変更すれば、実施例の内容も変わってきます。

つまり従来なら一つの発明に対して一つの特許出願を弁理士が作成していたのに対して、一つの発明で多出願を弁理士の力を借りずに（コストもかけずに）できるようになります。

対話型と記述型の特許書類作成システムは「ＡＩ Ｓａｍｕｒａｉ」の新サービスとしてリリースしました。これらのＡＩ活用は、かつての日本がそうだったように、日本を再び世界の知財強国に押し上げてくれる強力なツールになります。

攻めるときには、守りも固めておく

第2章で説明したように、特許については侵害の問題を常に考えておく必要があります。なぜなら特許発明を実施すると、その結果として意図せずに他者保有の特許権を侵害してしまうケースがあるからです。なぜこのような事態が起こるのでしょうか。

理由はいくつかあります。まず他者の特許発明の特徴を含む発明に対しても、特許権が認められる可能性があるからです。あるいは人為的なミスにより、他者の特許発明と同じような発明に対して特許が付与されてしまうケースもあります。いずれにしても、発明者としては意図せぬ特許侵害を起こすリスクの可能性を、頭に入れておいたほうがよいでしょう。

仮に他者の特許権を侵害すると、損害賠償金の支払いを求められるケースがあります。先述のように、アメリカでは、特許を故意に侵害した場合には3倍賠償が求められます。しかもアメリカでは特許権の侵害訴訟が活発に行われていて、訴訟ビジネスを生業としている人たちもいます。

中国でも２０２１年から同様に、故意の侵害に対しては5倍賠償が制度化されています。特に中国は近年、国の支援による特許申請を増やしていて、申請数は２０２２年の段階で１６１万件を突破したともいわれています。特許を駆使して知財強国を狙う中国に対しては、それなりの向き合い方を考えておく必要があります。

そのために有効なのはＡＩの力を活用して、一つアイデアを思いついたら可能な限り周辺特許までを押さえておく戦術です。これこそはシン・ランチェスター戦略の実践であり、パテントマイニングを徹底するのです。これにより、まずは攻めをしっかり行います。

同時に、守りもガッチリと固めておけば、より安心です。そのためのツールとなるのが知財保険、具体的には知的財産権訴訟費用保険と知的財産賠償責任保険です。

日本でもすでに30年近く前から知財訴訟に関連する保険サービスが提供されていました。ただし、損害賠償までを補うものではなく、サービスとしてはいささか不十分な点がありました。損害賠償までを含めるとなると、損害賠償金や和解金が数十億から数百億円規模に膨れ上がる場合もあり、保険を提供する側も二の足を踏んでしまうのです。

アメリカでも知財に関する保障措置は一応あるとはいえ、特許侵害訴訟のように高額の賠償請求が予想される分野では、保障は免責となっています。

こうした状況を少しでも改善するために、新しいサービスが提供され始めています。その一つである知的財産権訴訟費用保険とは、国内特許侵害訴訟を提起された場合に、弁理士、弁理士報酬、鑑定費用などの一部を補償するものです。

また知的財産賠償責任保険とは、第三者の知財を侵害し法律上の損害賠償責任を負担した場合に被る被害に対して、保険金を支払うものです。仮に裁判になったときや訴訟に巻き込まれた際の、まさに保険としてこのような制度の活用は一考に値すると思います。

特許申請でのＡＩ活用に伴い、知的財産に関する新たな保険サービスの登場も期待できます。攻めと守り、重点は攻めに置きながらも、守りにも一定の目配りをしておく。そのような戦略思考こそが、これからの日本が再び知財強国となるために、何より必要です。

防衛策としての保険、攻撃策としての保険

知財を巡る争いが活発化しているのに伴い、海外でも新たな知財サービスの提供が活発になっています。

まずアメリカで注意すべきは、パテントトロールと呼ばれる一群の企業です。パテントとは特許であり、トロールとは神話に出てくる怪物を意味する言葉です。これらの企業は、通常の事業活動を行わず、第三者から特許権を買い集めます。その上で保有する特許権を侵害するような製品を製造したり販売している企業を狙い定めて、ライセンス料の支払いを求めたり、特許権侵害訴訟を起こして賠償金をせしめるのです。

このようなパテントトロールの攻撃に備えるための防衛的な知財保険として、先述の知的財産賠償責任保険が注目されています。その目的は、侵害訴訟を起こされて敗訴した際に、被保険者が被る損害賠償の軽減にあります。軽減策の中には弁護士費用、訴訟費用、反訴費用も含まれています。ほかにも侵害訴訟で訴えられた際の防衛保険とは別に、パテントトロール対策専用の特許付与後防衛保険なども提供されています。

アメリカではさらに巧妙なパテントトロールビジネスが展開されていて、日本企業が狙われている巧妙な事例もあります。

具体的には、あるパテントトロールが日本企業に狙いを定めて、相次いで訴えを起こしていました。そんな状況のもとでアメリカの別の企業が、狙われている日本企業に対して、パテントトロールから攻撃されないように守ると営業をかけてくるのです。このように書けばおわかりかと思いますが、アメリカのこの2社は経営者同士が知り合いで、いわばマッチポンプを仕掛けているわけです。もちろん、このような悪質なものはレアケースだと思われますが、一応アメリカで特許の絡む事業活動を展開する際には注意が必要です。

中国では保険会社による知的財産賠償責任保険が提供されています。中には攻撃策として特許執行保険があり、一方では防衛策として特許賠償責任保険のほか、海外での展示会で特許紛争が勃発した際の訴訟費用を補償する保険もあります。中国でこのような知財保険サービスを提供する企業は今のところ限られていて、いずれもグローバルに事業を展開しています。

あるいは中国の特許保険政策のもとでは攻めの特許保険が、企業のイノベーションを推進するとの研究結果も報告されています。他社よりも先に良い特許を多く獲得する、企業がそんなモチベーションを持っているために、中国の特許申請数はうなぎのぼりに増えているようです。

イギリスでは、特許庁が知財保険サービスを提供する企業を公式ホームページに掲載していて、これを見ると多数の保険会社が知財保険サービスを提供している現状がよくわかります。中でも興味深いのが、サイバーインシデントの損害に対する保険サービス（サイバー保険）においては、サイバーインシデントに知的財産侵害による損害を含めるものがある点です。

一方ではいかにもイギリスらしい特徴もあり、知財保険の補償適用範囲をイギリス、ヨーロッパ諸国、アメリカを含む全世界などに区分けした上で、適用範囲に応じて保険料を変えています。その背景には、国による知財関連訴訟案件の発生頻度の違いがあると考えられます。

このように知財保険市場が急拡大する中で、どのような知財保険を選択するのか。防衛策としての知財保険だけでなく、攻撃策としての知財保険も視野に入れておく必要があります。

第6章

子どもたちのアイデアが日本を救う

～大人のアイデア会議の参考に～

子どもたちのアイデアを特許にする

子どもたちは、無限の発想力を秘めています。その能力を思いきり伸ばして、できれば特許取得までの一連のプロセスを体験させてあげたい。さらに実は特許を取るのは、それほど大げさなことではないのだと教えてもあげたい。

誰かが、何か困っている問題を解決できるアイデアを思いつけば、それは特許につながる可能性を秘めています。ですから、子どものうちからどんどん発明をしてほしいし、特許にも親しんでほしい。そんな想いで立ち上げた活動が「発明寺子屋®」です。

この名称には、江戸時代の寺子屋を現代に復活させたいという願いも込められています。すなわちさまざまな分野のプロフェッショナルが集まり、協力しあって子どもたちの学びを支える場が、現代の寺子屋です。子どもたち一人ひとりの気づきや発見を後押ししてあげ、みんなが楽しくのびのびと学べる、そんな場を提供したいと考えて発明寺子屋®を立ち上げました。

誰かのために、何かしてあげたい。ふと気づいた問題を解決してみたい。子どもたちなりに考えた「こんなことができればいいのでは！」というちょっとした思いつきが、実は素晴らしいアイデアへとつながる可能性を秘めています。そんなアイデアの芽をプロが少しサポートしてあげれば、特許取得は決して夢ではないのです。そのサポートにＡＩの力、具体的にはＡＩ特許評価システムとＡＩ特許文書作成システムを活用します。

２０１８年11月から２０１９年１月にかけて「一般社団法人 こたえのない学校[*11]」が実施する「ポラリスこどもキャリアスクール８期[*12]」に播磨里江子弁理士が協力し、３回、発明寺子屋®のプログラムを行いました。その結果、当時小学校４年生だった子どものアイデアが、特許取得に至っています。

発明寺子屋®では最終的な目的の一つを、子どもたちによる特許取得に置いています。そのためにはまず子どもたちに、ＡＩ特許評価システムについて、その概略だけでも理解しておいてもらう必要があります。そもそも発明とは何か、特許とは何を意味しているのか、どうすれば特許を取れるのかなどの基本的知識を、子どもたちにひと通り学んでもらうのです。その上で自分たちの手で何かを発明し、その発明をみんなで評価しあいながら発展させ、最終的に特許取得までいけばベスト。「ポラリスこどもキャリアスクール８期」は、そんな狙いを込めて行われました。

一連のプロセスの起点となるのが、子どもたちの「想い」です。発明は必ず発明者の「想い」から生まれます。すなわち「自分を含む誰かの困りごとを解決したい」「そのために、何かを変えたい」と強く想う。その想いが、具体的なアイデアへと発展していくのです。

発明寺子屋®で子どもたちは、まず想いから生まれる発明の原石を見つけます。次に、その原石を自分なりに何らかの形でアウトプットします。このプロセスを通じて、子どもたちの発想力や創出力の向上を目指すのです。以下では発明寺子屋®が、一般社団法人こたえのない学校との共同開催により、最終的に参加者が特許取得に至ったプログラムを紹介します。

ここでは「子どもたち」を対象としていますが、このプロセスは、大人を対象としたアイデア会議にも、そのまま応用可能です。何かアイデアを考えるときの参考にしていただければと思います。

3カ月にわたる3回のワークショップ

AI 特許評価システムの表示例

ワークショップ開催に際しては私たちと「こたえのない学校」のスタッフの皆さんと念入りに打ち合わせを行い、新しい発明教育プログラムを一から作り上げました。このワークショップの独創性はＡＩの活用にあります。すなわち子どもたちが考え出した発明に対して、これまで説明してきたＡＩ特許評価システムを使って特許取得の可能性を客観的に評価し、発明をさらにブラッシュアップしていくのです。

ＡＩによる評価を見れば、子どもたちは自分の発明を既存技術と簡単に比較できます。具体的には既存技術と自分のアイデアの一致点と相違点を、時間をかけず理解できるようになります。既存技術との相違点について考えを深めていけば、自分の発想をより独創的なアイデアへと高めていけます。一方で既存技術との一致点を明確にすれば、自分の発明にとって必要不可欠な要素を確認するヒントを得られます。

さらにＡＩによる評価だけでなく、ワークショップに参加している同年代の友だちに加えて、ファシリテーターを務める大人も評価やアドバイスをしてサポートします。リアルなコミュニケーションを通じて、発明者は自分の「想い」を再確認でき、自分では気づかなかったヒントも得られます。３カ月にわたる3回のプログラムは、下記のようなプロセスで行われました。

〈プログラム内容〉

①発明のタネ探し
②発明のタネを育てる（発明と特許について理解する）
③発明を伸ばす&さらに育てる
④特許出願　※希望者のみ
⑤特許庁による審査　※希望者のみ

〈参加者〉
対象：小学3年生～6年生、計20名
〈実施形態〉
グループワーク
・8チーム（各チーム2～4名）＋チームごとにファシリテーター1名

第1回　～発明のタネを探そう～

各チームのメンバーは初対面同士ですから、最初はどことなくぎこちない雰囲気に包まれています。そこでみんなの気持ちをほぐして、ワクワクしながらアイデアを考えられるように、初回のプログラムはチーム対抗の発明ゲームからスタートしました。

名付けて「ペーパータワー発明ゲーム」、普通紙50枚とセロハンテープだけでなるべく高いタワーを作ります。ただし条件が一つあり、できたタワーの頂上にカップラーメンを載せなければなりません。ちなみにこのゲームは「ペーパータワー」と呼ばれて、日本弁理士会関東会*[13]の知財創造教育支援委員会でも実践されている発明工作ゲームです。単にタワーを高くするだけでなく、カップラーメンを載せても揺るがない安定性が求められるのです。

チームで作戦を考える時間は5分、子どもたちなりのアイデアが飛び交い、それまで会ったこともなかった子ども同士が、あっという間に打ち解けていきます。アイデアタイムの終了後は制作タイムで、各チームが思い思いのタワーを作っていきます。結果は大接戦となりました。

続いて行ったのは「発明者の想いを考えよう」です。身近にある発明品「フリクション®（書いて・消して・また書けるボールペン：パイロット製）」「ハリナックス®（針を使わないホッチキス：コクヨS&T製）」「インスタントラーメン」を紹介し、それぞれについて「誰のために・どんな想いで創られ・どのような工夫がなされているのか」をチームのメンバーと一緒に考えていきます。その狙いは、発明家の思考プロセスの疑似体験です。

何より子どもたちにわかってほしいのは「発明」の本質です。「発明」とは、人が「工夫」を凝らすことにより、未だかつて存在していなかった「初めて」となる何かを

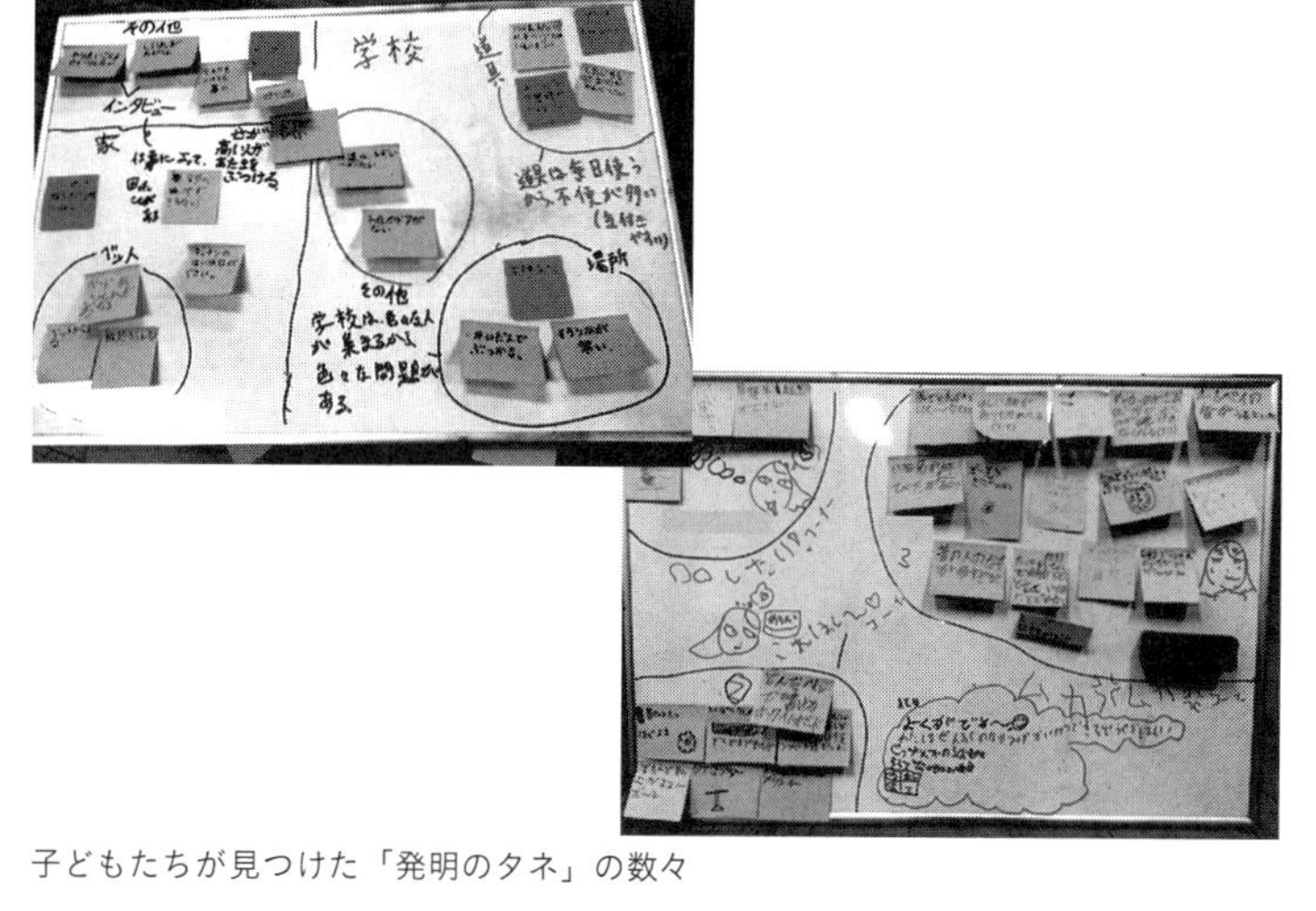

子どもたちが見つけた「発明のタネ」の数々

創り出す行為です。だからといって、まったく新しいものだけが発明となるわけではありません。これまでに作られたものを活用したり、いくつか組み合わせたりして「新しい価値」を生み出すのも発明です。ですから「ペーパータワー」で取り組んだように、紙とセロハンテープというすでにあるものを使って、新しいペーパータワーつまり新しい価値を創り出すのも発明です。

新しい価値を創り出すために、大切なのが「工夫」です。今あるものに対しても、何か「工夫」を加えれば、発明につながります。ではどうすれば新しい「工夫」を思いつけるのでしょうか。工夫を生み出すキッカケは2つあります。すなわち「経験」と「想い」です。

具体的には、日々の暮らしの中で、自分自身が何か不便を「経験」した覚えはないか、あるいは誰かが不便な思いをして困っている様子を見かけた「経験」はないかと思い返してみます。それで何かが浮かんだときには、その不便を何とかして解決したいという「想い」が生まれます。

経験から湧き上がってくる想いこそが発明のコツだと理解した上で、次は実際に日々の生活の中に潜んでいる不便を、みんなで探していきました。メンバー同士で話し合ったり、イベントに付き添ってきている家族に話を聞いてみたり、あるいは会場内をうろうろして何かないかと探してみたり……。各自が思いついたり見つけたりした「発明のタネ」を付箋に書き出し、ホワイトボードに貼って並べていきます。それらを眺めているうちに、新しい「発明のタネ」を思いつく。このアイデア出しまでで第1回のワークショップは終了しました。

第2回　～発明のタネを育てよう！～

第1回から約1カ月後に、第2回のワークショップを開催しました。この間に自分なりの発明のタネを新たに見つけてきた参加者もいました。ふだんの生活の中で何か不便なところはないか、誰かが何かに困っていないか。そんな視点を日々意識するだけで、世界の見え方が、ほんの少しとはいえ変わってきます。実際にそんな経験をしたメンバーもいたようです。

第2回のテーマは、発明のタネの中から発明になりそうなものを選び、その発明を育てることです。このプロセスでは、AI特許評価システムを活用して、特許取得の可能性を客観的に評価し、発明を改良していきます。

プログラムの最初に弁理士が「特許とは何か」を説明しました。特許権とは、わかりやすくいえば発明に対する「ごほうび」です。自分が考え出した発明ですから、発明した自分だけがその発明を実際の製品にしたり、それを売ったりする権利を持てます。また自分の発明品と同じものを誰かが作ることを許可してあげたりもできます。

このような特許を取るためには、本書ですでに説明してきたように次の3つの条件を満たす必要があります。

1．新規性：発明が新しいこと

小学生の発明

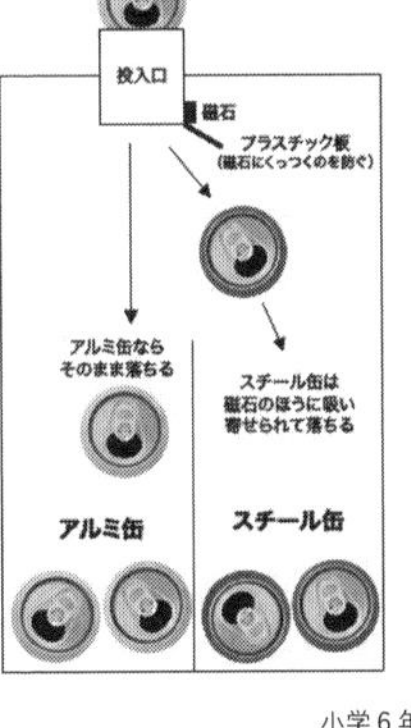

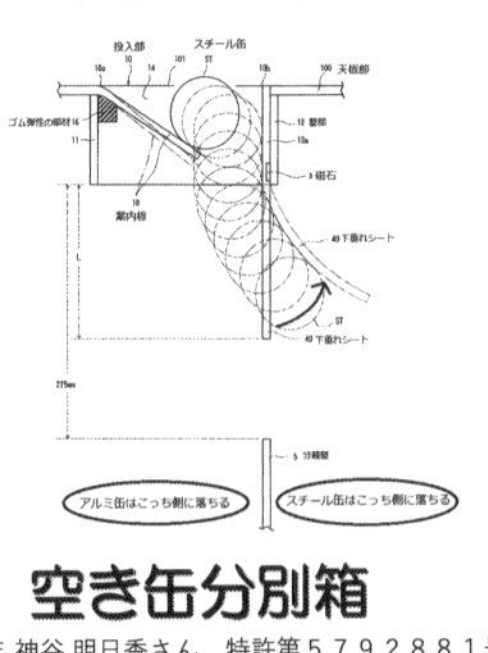

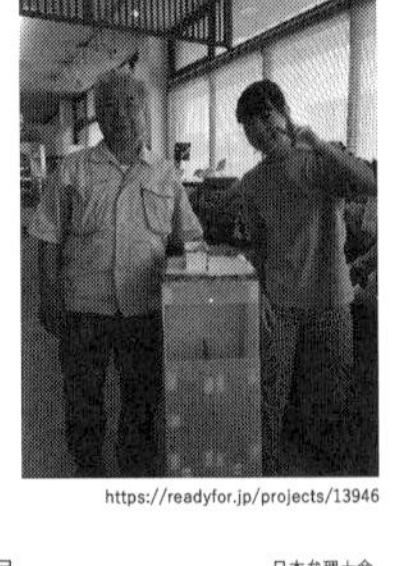

空き缶分別箱

小学6年 神谷 明日香さん　特許第５７９２８８１号

日本弁理士会

ワークショップで説明した小学生による発明

2．進歩性：簡単に思いつけない発明であること

3．実現可能性：発明を具体的なものとして作れること

わかりやすく説明するために、実際に小学生が特許取得した例を使って説明しました。

スーパーを経営するおじいさんの困りごとを、何とか解決してあげたい。そんな想いを持った小学校5年生の発明です。

〈空き缶分別箱・特許５７９２８８１[*14]〉

・おじいさんの困りごと

お店に置いたゴミ箱に、みんなが空き缶を捨てていきます。空き缶にはアルミ缶とスチール缶が混ざっていますが、ゴミを回収してもらうときには分別しておかなければなりません。だからおじいさんは毎日、自分で時間をかけて空き缶を分けています。たくさん捨てられた空き缶を、一つずつ確認しながら分けていくのは、かなり大変な作業です。

↓

・小学校5年生の孫の想い

おじいさんの苦労を楽にしてあげたい。そのためには、まずゴミ箱に空き缶を入れたときに、アルミ缶とスチール缶が自動で分別されるようにするのがいちばん。その上で、それぞれが別のところに収納されるようにすれば、おじいさんが自分で空き缶を分けなくても済む。

↓

・特許につながった発明

空き缶が転がっていく経路に磁石を埋め込みます。するとスチール缶は磁石に引き寄せられるけれども、アルミ缶は磁石に引き寄せられないので、スチール缶とアルミ缶では進む方向が変わります。この磁石の力によって、缶を分別します。

この小学5年生の特許を参考にしながら、各チームで集めてきた数多くの発明のタネを、最終的に2つぐらいに絞る話し合いを行いました。その際には次の4点を意識するように伝えています。

1. 解決したい困りごと
2. 解決のためのアイデア
3. あったらこんなよいことがある
4. 発明のイメージ図

みんなで話し合いをしながらアイデアを絞り込み、確認しあいます。イメージを伝えるために、絵を描くメンバーもいます。最終的にチームごとにまとめたアイデアをワークシートに書き込み、みんなの前でプレゼンテーションをしてもらいました。

プレゼンテーションに対しては参加者全員から質問が投げかけられ、また意見交換も行われました。ちなみに子どもたち同士のディスカッションと、大人が行う同じようなディスカッションには、決定的な違いが2つあります。第1に子どもたちのディスカッションでは、アイデアを実現する上でのコストがまったく意識されません。第2に子どもたちは、コストも含めて実現可能性についてはほとんど考えていません。

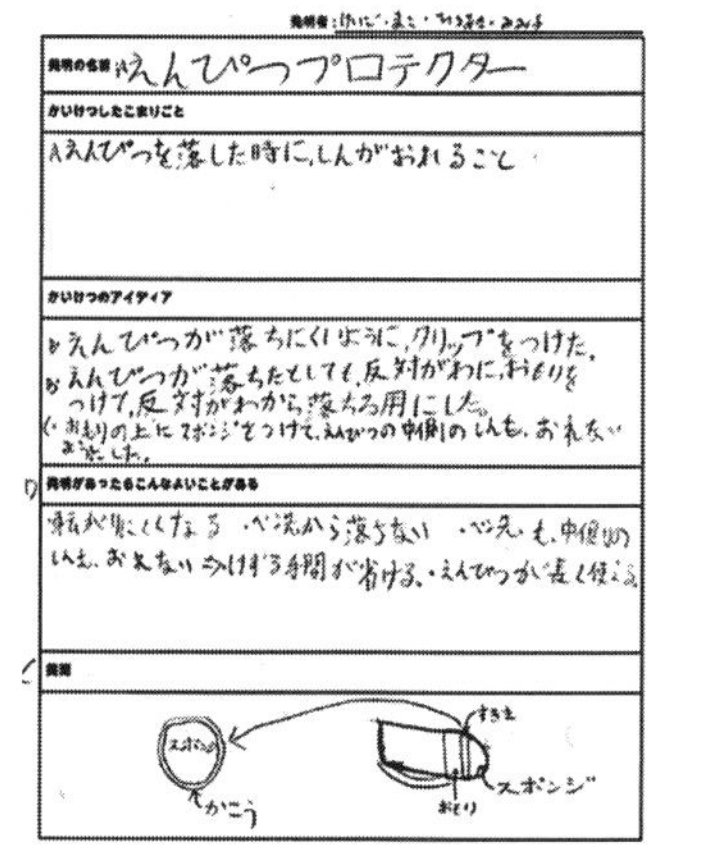
発明者：
発明の名前　えんぴつプロテクター
かいけつしたこまりごと
A えんぴつを落した時に、しんがおれること
かいけつのアイディア
B えんぴつが落ちにくいように、クリップをつけた。
C えんぴつが落ちたとしても、反対がわにおもりをつけて、反対がわから落ちる用にした。
（・おもりの上にスポンジをつけて、えんぴつの中側のしんも、おれない）
発明があったらこんなよいことがある
ぺえも、中側のしんも、おれない
けずる手間が省ける。えんぴつが長く使える
発明
スポンジ
かこう
おもり
スポンジ

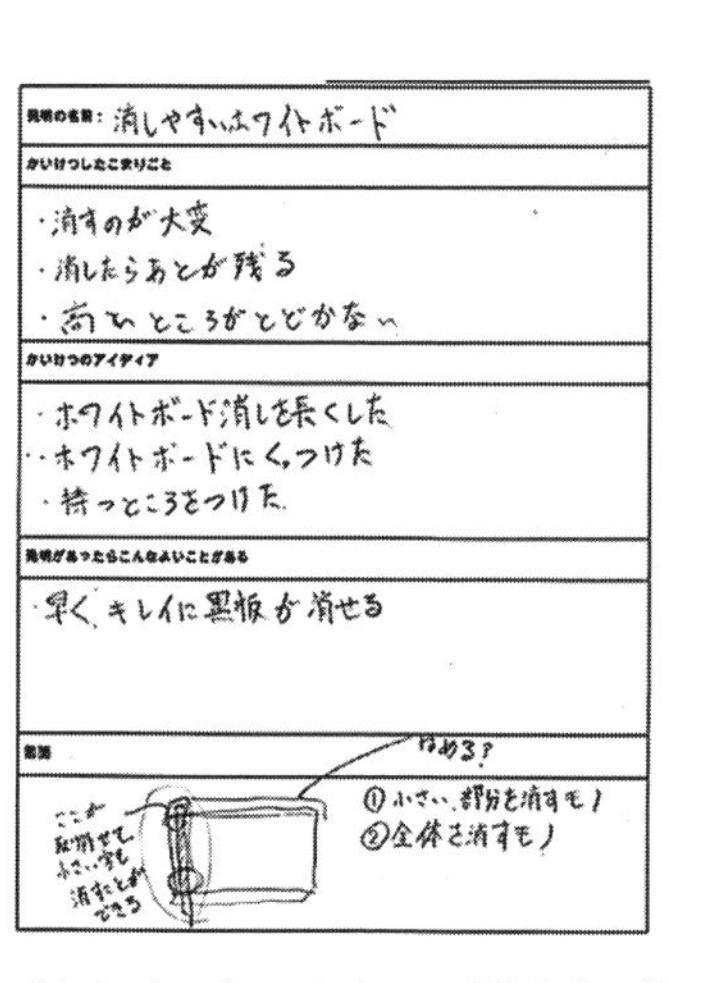
発明の名前：消しやすいホワイトボード
かいけつしたこまりごと
・消すのが大変
・消したらあとが残る
・高いところがとどかない
かいけつのアイディア
・ホワイトボード消しを長くした
・ホワイトボードにくっつけた
・持つところをつけた
発明があったらこんなよいことがある
・早く、キレイに黒板が消せる
発明
はめる？
①小さい部分を消すもの
②全体を消すもの

チームごとにまとめたワークシート。左の「えんぴつプロテクター」は第５章で紹介した事例です。この発明は最終的に特許取得に至っています。特許出願公開番号2020-146869

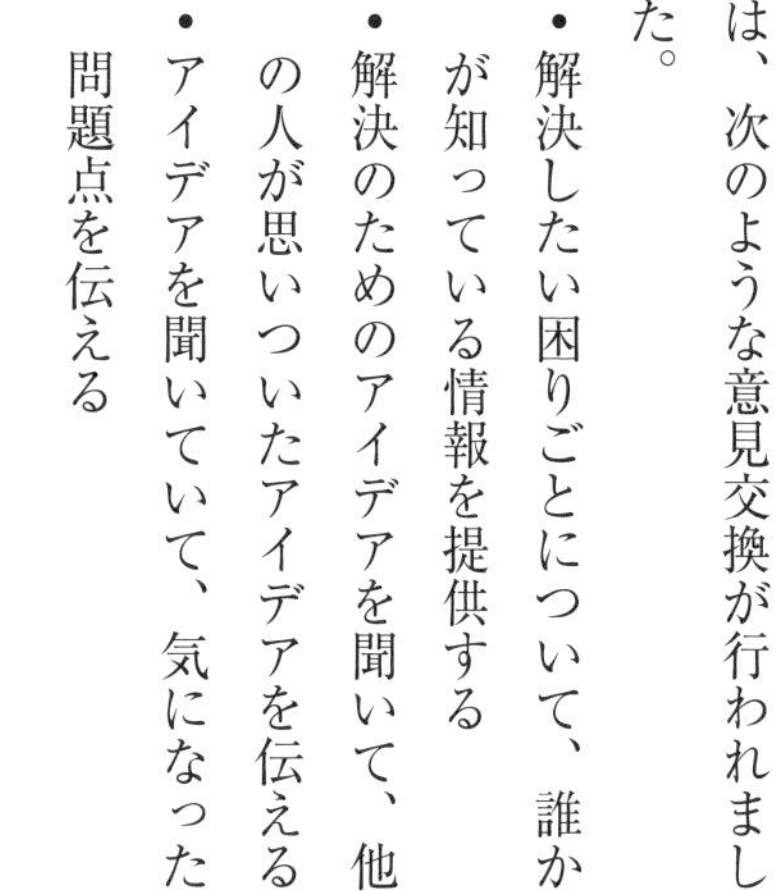

子どもたちのディスカッションでは、次のような意見交換が行われました。

- 解決したい困りごとについて、誰かが知っている情報を提供する
- 解決のためのアイデアを聞いて、他の人が思いついたアイデアを伝える
- アイデアを聞いていて、気になった問題点を伝える

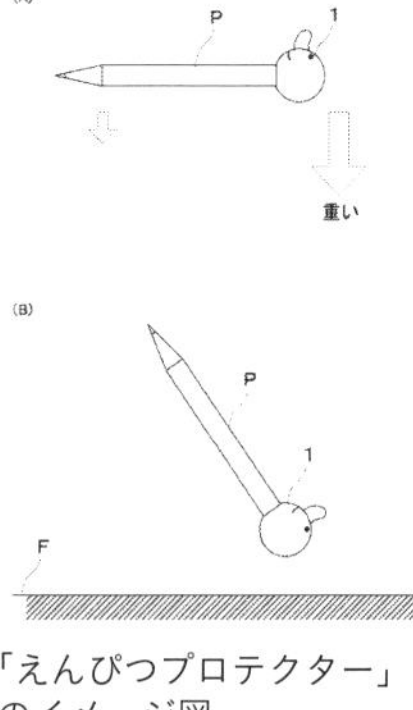

「えんぴつプロテクター」のイメージ図

こうして自分たちが思いついた発明のタネを、さらに育てるための手がかりを得た上で、第3回のワークショップまでに解決策をそれぞれ検討してくることが宿題となりました。

第3回　～発明をよりよく伸ばしていこう～

第3回のワークショップでは、各チームがまとめたワークシートの内容に基づいて、AI特許評価システムによる発明の技術的評価を行いました。これにより各チームのアイデアをA～Dの4ランクに評価し、その結果をフィードバックします。

その際には特許庁の審査官が、どのような基準で「新しさ」を評価しているのかを伝えました。子どもたちが自分では「絶対に新しい！」と確信しているアイデアでも、さまざまな特許を見てきている審査官にとっては「客観的に新しいとはいえない」ケースがあります。

最終的にA評価が出て、ガッツポーズでハイタッチするチームがある一方で、C評価

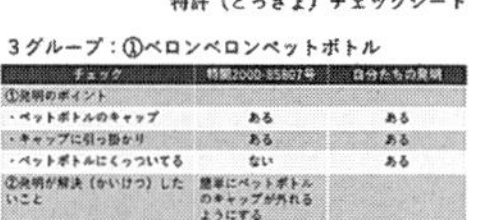

特許（とっきょ）チェックシート

3グループ：①ペロンペロンペットボトル

チェック	特開2000-85807号	自分たちの発明
①発明のポイント		
・ペットボトルのキャップ	ある	ある
・キャップに引っ掛かり	ある	ある
・ペットボトルにくっついてる	ない	ある
②発明が解決（かいけつ）したいこと	簡単にペットボトルのキャップが外れるようにする	
③今までの発明とのちがい		
④自分たちが解決したい目的のために、もっとできる工夫はあるかな？		

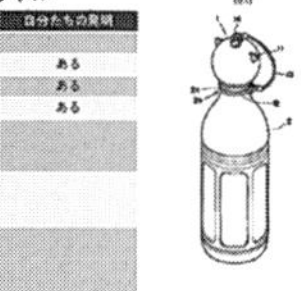

AI特許評価システムによる技術評価（左）と特許チェックシート（右）の例

となって悔しそうなチームもいました。ただし評価が低かったからといって、やる気をなくすようなチームはありませんでした。むしろ、どうすればよい評価を得られるのかと考える姿勢を見せていたのが印象に残っています。

その上で、さらにアイデアをブラッシュアップするために、自分たちの発明と従来技術を比較し、一致点・相違点を確認し、特に相違点について議論するようアドバイスしました。その際に活用するのがクレームチャートです。発明の各構成要素と従来技術の類似度を数値表示するため、類似度が低いほど相違点となる可能性が高いと直感的に理解できます。

さらに発明のポイントと従来技術との対比を、わかりやすく表示したチェックシートを子どもたちに提示しました。これを元に「従来技術文献に記載されていない」と表示された発明のポイントについて、各チームで議論を深めていきます。

そして各チームによる最終プレゼンテーションが行われまし

た。ここでは、チーム内で議論した改良ポイントや改良の理由について詳しく説明されます。それに対して次々と質問が出されます。白熱したプレゼンテーションを終えて、各チームに「発明認定書」を授与して、3カ月にわたるプログラムは終了しました。

特許出願から特許取得へ挑戦

最終プレゼンテーションの終了後、希望者全員が特許出願を行いました。特許出願書類の作成はＡＩ Ｓａｍｕｒａｉが担当し、出願人には費用負担がかからないようにしました。挑戦した子どもたちは、自分たちの発明が表現された特許申請用の文章や図面を見て、難しそうな表情を浮かべていました。

特許出願を行った中で、出願から審査請求を希望し、拒絶理由通知対応、審査官面接と一連のプロセスを経て、最終的に特許取得に至った事例を紹介します。

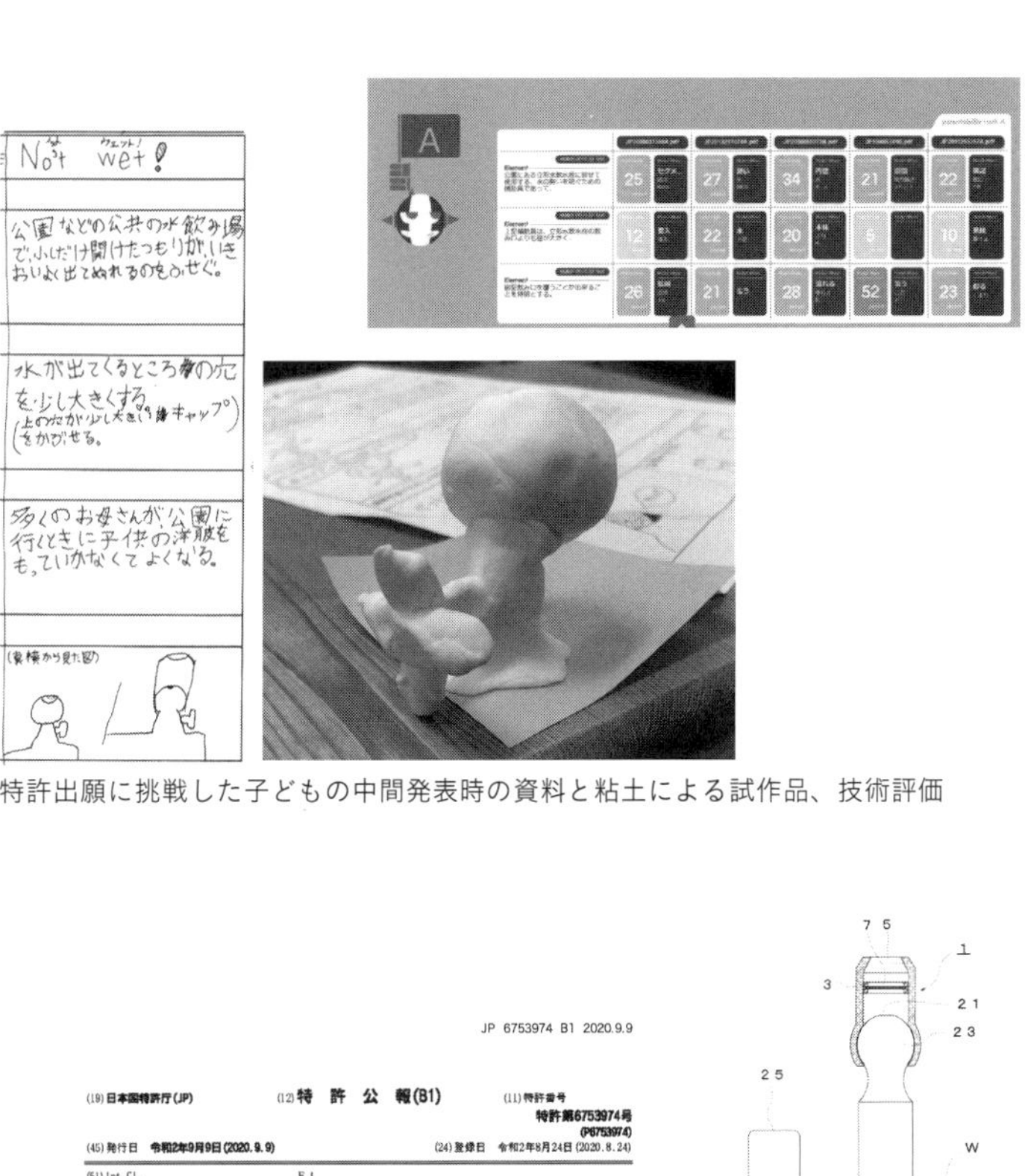

特許出願に挑戦した子どもの中間発表時の資料と粘土による試作品、技術評価

JP 6753974 B1 2020.9.9

(19)日本国特許庁(JP)　(12)特　許　公　報(B1)　(11)特許番号 特許第6753974号 (P6753974)

(45)発行日 令和2年9月9日(2020.9.9)　(24)登録日 令和2年8月24日(2020.8.24)

(51)Int.Cl. E03C 1/08 (2006.01)　F I E03C 1/08

請求項の数 5 (全 7 頁)

(21)出願番号 特願2019-44332(P2019-44332)
(22)出願日 平成31年3月12日(2019.3.12)
審査請求日 令和2年1月7日(2020.1.7)

早期審査対象出願

(73)特許権者 519086472
遠藤 拓郎

(74)代理人 110002516
特許業務法人白坂
(74)代理人 100114487
弁理士 山﨑 幸作
(74)代理人 100111419
弁理士 大倉 宏一郎
(72)発明者 遠藤 里紗
東京都世田谷区桜新町一丁目３６番２４号

審査官 家田 政明

最終頁に続く

(54)【発明の名称】水栓キャップ

(57)【特許請求の範囲】

〈発明の名称：Ｎｏｔ Ｗｅｔ!!〉

- 解決したい困りごと：

公園などの公共の水飲み場で、少しだけ開けたつもりが、いきおいよく出てぬれるのを防ぐ。

- 解決のためのアイデア：

水が出てくるところの穴を少し大きくする（上の穴が少し大きいキャップをかぶせる）

- あったらこんな良いことがある：

多くのお母さんが、公園に行くときに子どもの洋服を持っていかなくてよくなる。

ワークショップで確認できた内容と今後の課題

今回のワークショップを通じて、次の5点を確認できました。

1．子どもたちは、ＡＩシステムによる客観的な評価を一つの指標として受け止め、指

標を軸に次のステップに進もうとした（自信を持つ者、改善に努める者がいました）

2. 子どもたちは、ＡＩシステムのサポートを受けて、自分たちの発明と従来技術との相違点を（何となくも含めて）理解できた
3. 先生や友人という人間の評価と、ＡＩシステムによる評価の違いを認識した
4. 子どもであっても、発明と特許の違いを理解できる
5. 発明教育を通して、子どもたちが、特許出願や審査官との対話という社会とのつながりを経験できた

一方で、次のような課題も明らかになりました。

1. 従来技術との比較における相違点の洗い出しには、ＡＩシステムの結果に加えて、ある程度のサポートが必要
2. 小学生低学年の場合には、発明を言語化する際にサポートが必要
3. 特許出願の書類作成および費用面においてサポートが必要

これまでにも子どもたちのアイデアに対して先生や親がコメントをつける発明教育

は、何度も実施されてきました。けれども、子どもたちのアイデアに対して、ＡＩが特許取得の可能性を評価するワークショップは、おそらく今回が初めてです。

ＡＩ特許評価システム採用によるメリットは、何よりもそのスピードにあります。特許調査は通常、1件当たり最低でも1週間から2週間程度の時間を必要とします。ところがＡＩ特許評価システムを活用すれば、子どもたちがワークシートを書きさえすれば、その場でほぼリアルタイムに技術評価を得られるのです。

その結果を見て、さらに子どもたち同士で議論を重ねて、アイデアの質を高めていけます。繰り返しになりますが、このプロセスを活用できるのは子どもだけではありません。スタートアップのアイデアソン、中小企業での研究開発ブレスト、学生たちのアイデア会議から、リタイアしたシニアの方々による発明イベントなどにも活用できます。

第7章

ＡＩ特許システムが、特許申請を変える

特許出願へのAI活用

本書を締めくくる前に、弁理士であり弁護士でもある清水節先生に、ＡＩを活用する特許出願戦略についてうかがいました。清水先生は長年、裁判官として知的財産権の裁判に関わってこられた方です。退官後はセミナー「特許ウォーズ　日本が米中に追いつくためのＴｅｃｈ戦略」などの講演を行ったり、論文「国際化する知財紛争への対応──知財高裁による国際シンポジウムの開催」などを発表されています。また現在は、私が経営する株式会社ＡＩＳａｍｕｒａｉの社外取締役も務めています（以下、敬称略）。

──ＡＩを活用して特許評価を行ったり、特許申請書類を作成するシステムについて、知財を担当されていた元裁判官としてどのように見ていますか。

清水：ＡＩを活用して日本の特許出願を活性化させる──この白坂社長の理念には賛成で、だからこそ社外取締役として協力もしています。知財の裁判に関わってきた経験に基づいて、既存の法律の観点に照らし合わせてみれば、ＡＩを活用する特許出願システムについては、特許法と著作権法という2つの法律との関わりを考える必要があります。

——ＡＩによる特許出願は著作権法との関わりを考える必要があるわけですね。

清水：第1の論点は、ＡＩによって作成された特許申請書に著作物性を認めるかどうかです。第2の論点としては、作成された書類が、既存の書類の著作権を侵害していないかどうかを考える必要もあるでしょう。

言い換えれば、ＡＩの作成文書を著作物として保護すべきなのか、またＡＩによる文書作成プロセスで他者の著作権侵害が行われていないのかを考える。ただし著作権とは基本的に、人による著作物を対象として、人つまり著作者に対して与えられる権利です。

したがってＡＩによる著作物を、そもそも法による保護の対象とするのかどうかという点から問い直す必要が出てきます。

——つまりは、従来の法律では想定していなかった論点が浮かび上がってきた、ということでしょうか。

清水：その通りです。特許を出願するのはあくまでも人である、これが特許法の前提です。ＡＩなどの機械が特許を独自に出願して、特許の権利者となるような事態は、特許法では想定外です。もちろん仮にＡＩが書類を書いたとしても、実際に申請業務を行うのは弁理士ですから、特許を出願するのは人です。ではＡＩが作成した特許文書については、誰を著作権者とすべきなのか。これは今後の検討課題でしょう。

一方でＡＩが出願書を作成する際に起こりうる著作権侵害については、まず問題ないと思います。なぜならＡＩ特許作成システムが参照するのは、すでに公開されている技術情報や既存の特許、研究論文などの文書ですから、仮に引用元が特定できるような場合には必要に応じてそれを明記すれば、それらがＡＩにより収集され文書化されても問題はないはずです。

——要するに今のところＡＩが独自に発明するわけではないので、問題にはならないというわけですね。

清水：発明を自律的に創作するようなＡＩは、現在はまだ存在しません。仮に今後、そのようなＡＩが登場するとなれば、それはまた次元の異なる問題を引き起こすでしょう。もとより現状のＡＩは既存の文書を集めてきて、きれいにまとめる文書を作成するレベルであり、それだけの要素では特許とはなり得ません。なぜなら特許には何らかのブレイクスルーが求められるからです。

逆にいえばもしも今後、ＡＩが独自でブレイクスルーとなるアイデアを考え出すような事態が現実のものとなれば、そのときには改めて考え直す必要が出てきます。とはいえ、仮にそんな事態が起こったとしても、特許申請の実務は弁理士が行うわけですから、特許庁としてはＡＩが発明したかどうかなどはわからないでしょう。

ともあれ現時点で考えれば、過去の特許を調査してそれとの抵触を調べたり、何か思いついたアイデアをブラッシュアップして文章化するのに、ＡＩは向いていると思います。

――今後展開していく生成ＡＩを活用した特許の明細書作成なども、問題はないと考えてよいのでしょうか。

清水：まず著作権に関して、ＡＩが登場する前の状況を考えてみましょう。これまで特許の申請書類を作成する際に、先行する特許を参照したとしても、著作権が問題になったケースはありません。したがって既存の特許を参照しながら、生成ＡＩがより洗練された文書を作成したり、先行特許の発明者の技術思想を読みやすいものに変えていく作業については、特許法の観点からは何も問題はないと考えます。

したがって、このようなＡＩの使い方であれば著作権法についても問題はないでしょう。

――そもそも特許とは、特定の技術課題を解決する仕組みであり、その仕組みそのものを生成ＡＩが考えるわけではないですね。

清水：先にも述べたように、仮にそこまでを生成ＡＩあるいは何らかのＡＩが考えるようになれば、そのときには世界が変わると思います。

ただし現状の生成ＡＩの仕組みを考えれば、すでにネット上に存在するデータを参照して、それらしい文章を組み立てているだけです。つまり参照しているのはすでに存在する解決法やアイデアであり、それでは新しい発明とはなりません。

しかも生成ＡＩそのものは、人間のように「考えている」わけでもない。あくまでも意味の通りやすいように文章を組み立てているだけです。

――確かに生成ＡＩには、特許の根源ともいえる創造性はありません。

清水：新しい発明を考え出すのは、あくまでも人の役目です。特定の技術課題を設定した上で、それを解決する仕組みが発明になるわけで、新規の発明を生成ＡＩに考えてくれといっても、それは無理な話です。あくまでも人が思いついた発明を、洗練された文書として表現する。これが生成ＡＩの役目です。この発明と表現の役割分担においては、生成ＡＩはとても役に立つと考えます。

もっとも作成された特許文書が、従来の特許文書と酷似している場合には、著作権法の問題が出る可能性がないとはいいきれません。けれども、これまで人が行っていた特許申請においても、そのような類似性が問題とされたケースはないので、まず大丈夫ではないでしょうか。そもそも弁理士も、特許書類を作成する際に著作権法を意識することなどなかったはずです。

ＡＩとの会話でアイデアを育てる

――生成ＡＩの別の可能性についてですが、第1章で紹介したように、研究者などは日々何らかのアイデアを思いついています。そのアイデアについて生成ＡＩと、いわば壁打ちを繰り返していけば特許のタネが生まれる可能性はあるのではないでしょうか。

清水：研究者が、具体的にどのように生成ＡＩを使いこなしていくのかについて、正直なところ私にはわかりません。ただし、創発を起こしやすくなる可能性はあると思います。また第1章でも語られているように、少なくとも特許申請のプロセスを変える可能性はかなり高いでしょう。

研究者たちと弁理士が会話する際には、おそらくお互いの間にかなりのもどかしさがあるのだと推測します。しかも相手が生身の人間であれば、まず日程調整から考えていかなければなりません。何か思いついたときに「これ、どう思う？」とその場で気軽に相談したりはできない。けれども、生成ＡＩが相手なら、人間同士のコミュニケーションで起こるような問題は存在しません。研究者が生成ＡＩと特許申請を前提とした会話を繰り返していけば、思わぬ方向に発想が飛躍する可能性は十分に考えられます。

――生成ＡＩが特許を生み出す揺りかごのような役目を果たせるわけですね。

清水：そうなれば、生成ＡＩはもとよりＡＩ特許評価システムも新たな利用価値が出てくるのではないでしょうか。つまり、思いついた特許のタネを生成ＡＩで特許申請にふさわしい文章とし、それをＡＩ特許評価システムに判断させる。その結果を生成ＡＩにフィードバックして、訂正をかけていく。もちろん、その間には人もさまざまな思いつきや改良点などのアイデアを付け加えていく。人と生成ＡＩとＡＩ特許評価システムが三位一体となって、新しいアイデアを特許として育んでいく。そんな可能性に期待できそうです。

このパターンでの特許申請は、研究者に限らず、企業知財部のスタッフなどにも同様に展開できるはずです。もちろん、いずれにしても最終的に特許申請をする段階では、弁理士による最終確認が必要だと思いますが。

――そうなると最初の思いつきを出すのは、研究者に限る必要はないですね。

清水：第6章で紹介されていた、子どもたちの発想などにも大きく期待できると思います。既成概念にとらわれない子どものユニークな発想は、まさにアイデアの宝庫です。しかも子どもたちは、実現可能性による制約などまったく意識していないでしょう。その自由奔放な発想こそは、大人たちがいつの間にか失ってしまった貴重な能力といえます。

もちろん、生成AIを使うためには、ある程度の文書化が求められるため、小学校の低学年などでは大人のサポートが必要だと思います。けれども、小学生でも高学年ぐらいからなら、自分で使いこなせるのではないでしょうか。

――誰もがちょっとした思いつきを特許に育てられる可能性がある。そう考えれば、経験豊富なシニアの方々のリタイア後の楽しみの一つとして、生成AIを使ったアイデア出しを提案できそうな気もします。

清水：歳を取ると文句が多くなる、とよくいわれます。つまり「こんなことだから困るんだ」とか「これは、何とかならんのか」などと感じる機会が増えてくるわけです。こうした文句を単に年寄り特有の愚痴と捉えるのか、アイデアのヒントと考えるのか。もう一歩踏み出して考えるよう促せば、世界が変わって見えてくる可能性はありそうですね。何しろ時間はたっぷりあるのですから、何かに困ったときに「ではどうしたら、よくなる？」と考えてみればよいわけです。

その際に子どもとの違いは、豊富な人生経験を活かせることでしょう。過去を振返って、似たような問題を何とかして解決したケースがなかったかと考えれば、それの応用で新たなアイデアを思いつく可能性が出てきます。

――そこで生成ＡＩを相手に壁打ちしていけば、相手は機械ですから、何も文句を言わず付き合ってくれそうです（笑）。

清水：その意味では年寄りの話し相手としても生成ＡＩは、ベストパートナーかもしれません。常に対話をしていれば、老化の防止にも役立ちそうです（笑）。理想をいえば、そういうケースの中から、実際に特許取得までに至ったシニアヒーローが誕生して、社会的に注目されるようになれば、新しいトレンドが生まれるのではないでしょうか。

――私としては、生成ＡＩやＡＩによる特許評価システムにより、日本を再び世界での知財強国に復活させたいと考えています。

清水：現実的な話に戻せば、一つ特許を考えついたときの、周辺特許を埋めていくプロセスでも生成ＡＩを活用できるはずです。特に機械系や電気系の分野では、一つの思いつきだけでビジネスを成立させるのは難しい。パイオニア特許＋周辺特許で固めていく、白坂さんの好きなパテントマイニング戦略を採用する際にも、生成ＡＩが使えると思います。

特許出願数を増やす観点からいえば、中国のように特許申請に奨励金を出すような制度まで国が考えてくれれば、より強力な後押しになると思います。生成ＡＩを活用する特許出願には、私も期待しています。

第8章

変わり始めた未来、特許を巡る新たなビジネスモデル創出へ

特許申請、その異次元の進化

本書を企画して執筆を始めたのは、2023年の4月でした。ChatGPT-3・5が登場したのも、たぶんちょうどその頃だったと思います。早速自分で試してみて、これは特許申請にもパラダイムシフトを起こすツールになると確信しました。

そこで本書を書き進めるのと同時進行で、これまでサービス提供してきたAI特許評価システムやAI特許文書作成システムに加えて、第5章で説明したように生成AIを活用する特許文書作成システムの開発も進めてきました。

ただ生成AIの利用については、多くの企業が機密漏洩への懸念を表明しています。このような懸念が生まれるのは、ある意味やむを得ないことだと思います。なぜなら生成AI、具体的にはChatGPTは私企業であるOpen AI社によって提供されるシステムであるため、その利用に際しては情報漏洩の懸念を完全には払拭できません。とはいえ、だからといって導入を見送るのでは、パラダイムシフトから取り残されてしまうおそれがあります。

我々弁理士の間でも「生成ＡＩに情報を入力すると情報漏洩につながるリスクがあるのではないか」とか、あるいは「生成ＡＩに特許情報を入力・出力した時点で、その情報はＯｐｅｎＡＩ社に知られる可能性がある。それでは特許としての新規性を失うのではないか」など、その利用に伴うリスクを指摘する意見が出ています。

一方では「生成ＡＩを活用すれば、特許調査のキーワードや概念、過去の特許文書の抽出を効率化できる」「特許の課題のマイニングに使える可能性がある」「実際に明細書や特許請求の範囲を書かせてみてはどうか」など、知財業務の効率化の視点でＡＩの活用を検討する意見も出ています。

海外に目を向ければ、中国ではすでにＣｈａｔＧＰＴの知財活用に関する論文が発表されています。この論文で注目すべきは、ＣｈａｔＧＰＴは技術文書や調査報告書に活用するだけでなく、知財と財務データの統合・分析や法律、技術、経済、産業振興に関する各種情報の収集と初期整理等、情報の取得から統合まで幅広く活用できると指摘している点です。すなわちＣｈａｔＧＰＴの活用法を広げていけば、弁理士の業務が大きく変わる可能性があるのです（Prospect of Applying ChatGPT in the Intellectual Property Industry, 2023-03-17, Samson Yu, Lucy Li）[*15]。

あるいはEUのホームページでも、ＣｈａｔＧＰＴの可能性が紹介されています。ここでは、ＣｈａｔＧＰＴには、知財面において特許、商標、著作権、企業秘密等の情報を提供できる機能や知的財産法、判例等の調査支援をできる機能があると書かれています。すなわちＣｈａｔＧＰＴをうまく活用すれば、知財情報の扱い方が大きく変わるのです（Intellectual Property in ChatGPT, 20 February 2023, IP Helpdesk, EC (European Commission)）[*16]。

アメリカではＣｈａｔＧＰＴの知財活用について検討した結果、特許明細書のうち、背景技術に関する部分等、明細書の特定の部分に、ＣｈａｔＧＰＴをドラフト作成に活用する可能性が示唆されています。これなどは極めて具体的に絞り込まれた内容であり、実用化までのプロセスも見えているように思います（ChatGPT and Intellectual Property (IP) related Topics, March 27, 2023, By Ryan N. Phelan & Matthew R. Care）[*17]。

このように特許業界でも、ＣｈａｔＧＰＴの活用はいまや全世界的なトレンドになりつつあり、その活用により今後の業務が劇的に変化する可能性がある、というよりも、もはや変化しつつあるというべきだと思います。こうしたパラダイムシフトがすでに始まっている現状を、まず頭に入れておく必要があります。

日本の知財のさらなる復興を目指す特許プラットフォーム

前述したように私は今、ＡＩ特許評価システム、ＡＩ特許文書作成システムに加えてＧＰＴ（ＣｈａｔＧＰＴを他のアプリケーションから利用するＡＰＩ）を活用する、より弁理士に近い特許文書作成システムの開発を進めており、そろそろ最終段階に差し掛かっています。本書が刊行される頃には、新サービスとしてリリースできている予定です。

新サービスとしては、次の2種類を展開する予定です。

一つはこれまで提供してきた「ＡＩ Ｓａｍｕｒａｉ」にＧＰＴを搭載して、より弁理士に近い特許文書を作成する記述型の特許書類作成です。

もう一つは、より革命的なサービスと自負している、第5章で説明した対話型の特許書類作成システムです。たとえば何かアイデアを思いついたときに、ＧＰＴと対話を繰り返しながら、そのアイデアを特許に練り上げていく仕組みです。

このシステムには、弁理士としてこれまで培ってきたノウハウを凝縮して搭載してい

未来展望：質問型特許書類作成システム（発明創出 AI）

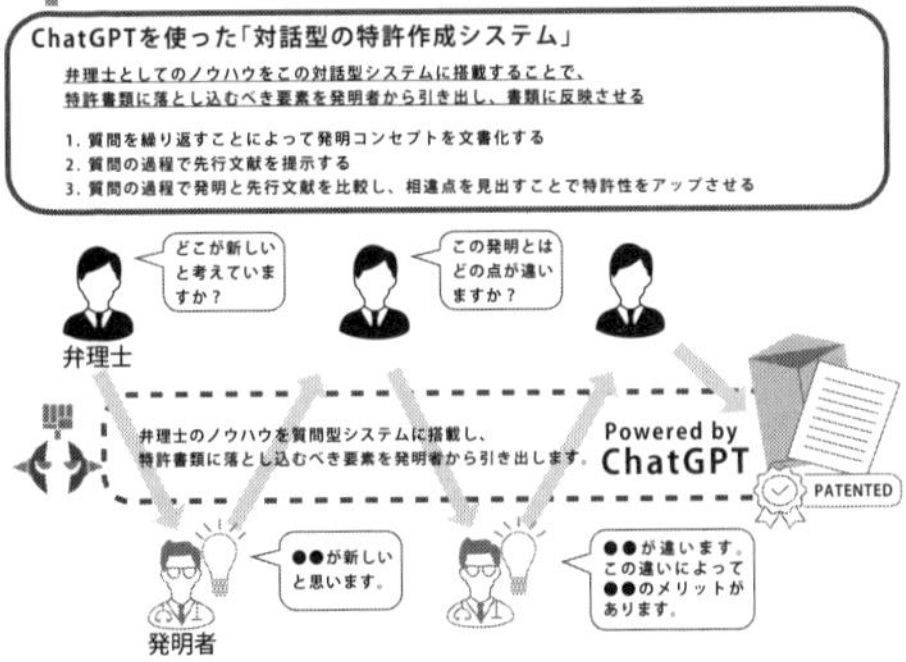

ChatGPTを使った「対話型の特許作成システム」

弁理士としてのノウハウをこの対話型システムに搭載することで、
特許書類に落とし込むべき要素を発明者から引き出し、書類に反映させる

1. 質問を繰り返すことによって発明コンセプトを文書化する
2. 質問の過程で先行文献を提示する
3. 質問の過程で発明と先行文献を比較し、相違点を見出すことで特許性をアップさせる

どこが新しいと考えていますか？

この発明とはどの点が違いますか？

弁理士

弁理士のノウハウを質問型システムに搭載し、
特許書類に落とし込むべき要素を発明者から引き出します。

Powered by ChatGPT

PATENTED

●●が新しいと思います。

●●が違います。この違いによって●●のメリットがあります。

発明者

【特許取得済み】ChatGPT特許
発明の名称：知的財産支援システム
登録番号：特許6185209
出願番号：特願2017-503029
出願日：平成28年9月1日
発明者：白坂一　播磨里江子

ます。すなわち、特許書類に落とし込むべき要素を発明者から引き出して、書類に反映できるよう設計しました。通常のＧＰＴでは質問をプロンプトの形で投げかけて、その答えを文章として出力させますが、このシステムではＡＩが質問してくるのです。

具体的には、弁理士のノウハウを搭載した質問型システム（ＧＰＴを活用したシステム）が質問を繰り返すことによって、アイデアを考えた人のコンセプトを文書化していきます。実はこのシステムについても上記の特許を取得済みです。このシステムを活用すれば、日本の特許出願状況を劇的に変える可能性が出てきます。

このシステムをベースとして、いま企画しているサービスが「ＡＩサポートによる特許流通

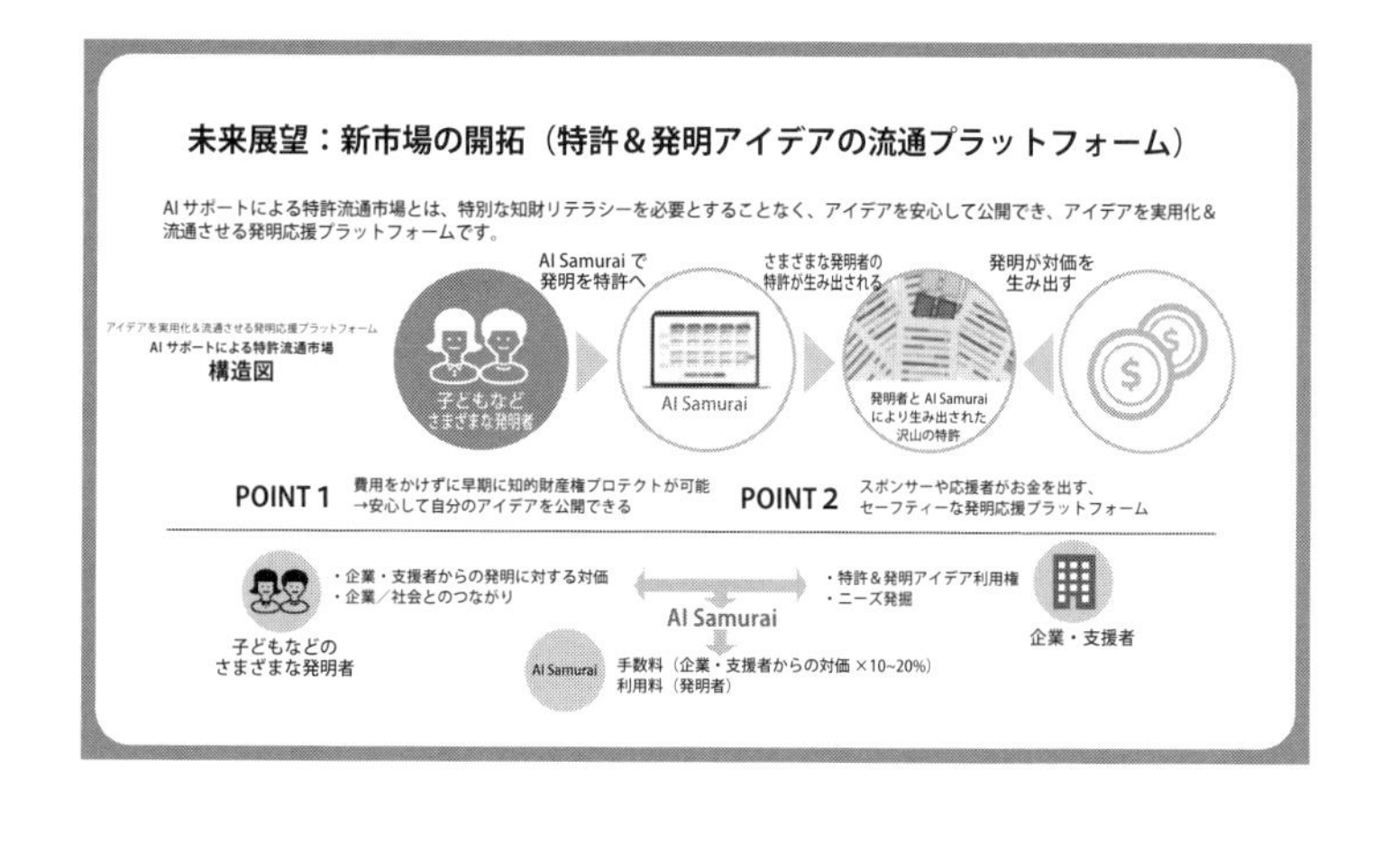
未来展望：新市場の開拓（特許＆発明アイデアの流通プラットフォーム）
AIサポートによる特許流通市場とは、特別な知財リテラシーを必要とすることなく、アイデアを安心して公開でき、アイデアを実用化＆流通させる発明応援プラットフォームです。
アイデアを実用化＆流通させる発明応援プラットフォーム
AIサポートによる特許流通市場
構造図
子どもなど
さまざまな発明者
AI Samuraiで
発明を特許へ
AI Samurai
さまざまな発明者の
特許が生み出される
発明者とAI Samurai
により生み出された
沢山の特許
発明が対価を
生み出す
POINT 1
費用をかけずに早期に知的財産権プロテクトが可能
→安心して自分のアイデアを公開できる
POINT 2
スポンサーや応援者がお金を出す、
セーフティーな発明応援プラットフォーム
・企業・支援者からの発明に対する対価
・企業／社会とのつながり
子どもなどの
さまざまな発明者
AI Samurai
・特許＆発明アイデア利用権
・ニーズ発掘
企業・支援者
手数料（企業・支援者からの対価 ×10~20%）
利用料（発明者）

市場（仮称）」です。これは思いついたアイデアを特許文書化し、特許申請をして知的財産権のプロテクトをかけた上でアイデアを公開し、スポンサーや支援者を見つけてアイデアを実用化するプラットフォーム、いわば特許アイデアを自由に流通させる市場です。

ＣｈａｔＧＰＴを活用するアイデアの壁打ちシステムは、誰でも簡単に使えます。ですからこれを使って、たとえば子どもが「太陽電池で動く空飛ぶ自転車」といったアイデアを特許書類に仕上げたとします。この特許をＡＩサポートによる特許流通市場に公開すると、これを見て実用化の可能性を感じたところがあれば、その特許を買えます。アイデアの価値が認められれば、対価を得られる仕組みです。

さらなる展開として、企業が特許アイデアを公募するプラットフォームとしての活用も想定しています。たとえば文房具メーカーが「中学生ぐらいの男子生徒が惹かれるような多機能筆記具についてアイデアを出してください」などとオファーする。その際には賞金も、たとえば特等10万円、1等5万円など明示しておき、実際にいいアイデアが出てきたら、内容に応じて賞金を提供するのです。

このプラットフォームを使うのは子どもに限った話ではなく、アイデアに関心を持っている人なら誰にでも使ってもらいたい。企業の知財部に所属する人たちはいうまでもなく、中小企業やベンチャーで何かアイデアを思いついた人たちにもどんどん使ってもらいたいと思います。

そうなれば、ＡＩサポートによる特許流通市場は、オープンイノベーションのプラットフォームになるのではないでしょうか。特許をどんどん流通させて、優れたアイデアを実用化していけば、日本は必ず知財で復活できます。

ChatGPTに読み込ませた図面

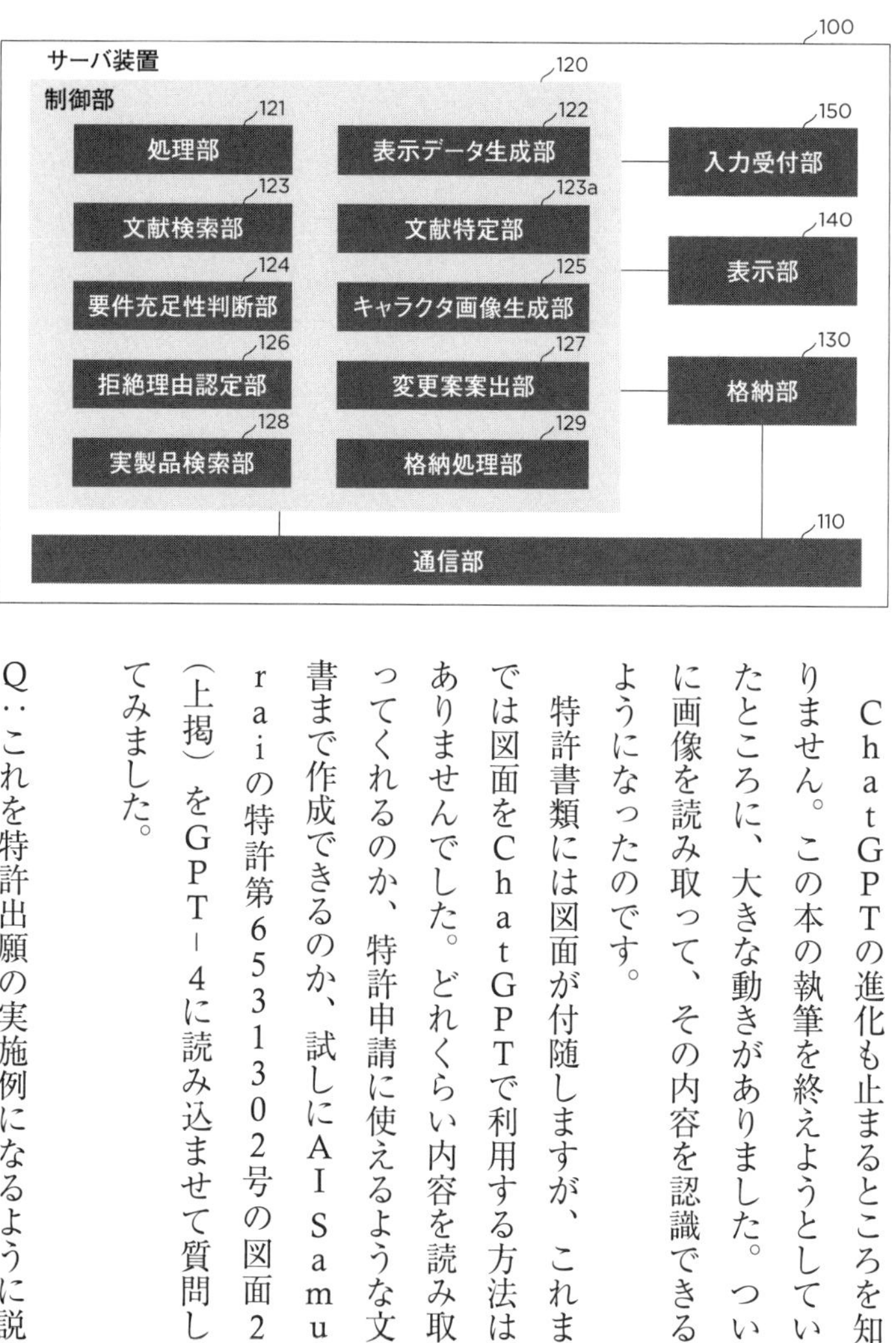

ＣｈａｔＧＰＴの進化も止まるところを知りません。この本の執筆を終えようとしていたところに、大きな動きがありました。ついに画像を読み取って、その内容を認識できるようになったのです。

特許書類には図面が付随しますが、これまでは図面をＣｈａｔＧＰＴで利用する方法はありませんでした。どれくらい内容を読み取ってくれるのか、特許申請に使えるような文書まで作成できるのか、試しにＡＩ Ｓａｍｕｒａｉの特許第６５３１３０２号の図面２（上掲）をＧＰＴ－４に読み込ませて質問してみました。

Ｑ：これを特許出願の実施例になるように説

明を作成してください。

↓

GPT：この画像を元に特許出願の実施例を作成します。ただし、画像の内容が限られているため、詳細な機能や方法を仮定して説明します。

実施例

図は、特許検索のためのソフトウェアプログラムのシステム構成図を示すものである。

システム120は、複数のモジュールから構成される。情報入力モジュール121では、ユーザーからの特許情報の入力を受け付ける。この情報は、検索対象となる特許のキーワード、出願日、出願人など、特許検索に必要な情報を含む。

情報整理モジュール123および123aは、入力された情報を整理し、検索クエリを生成する。整理モジュール124は、これらのクエリをさらに最適化し、高速な検索を実現する。

データベース接続モジュール125は、検索クエリをデータベースに送信する。ここでは、全世界の特許データベースにアクセスし、関連する特許情報を取得する。

結果整理モジュール１２７は、取得した特許情報を整理し、ユーザーにとって見やすい形式で表示する。一方、結果出力モジュール１２９は、整理された結果をユーザーに出力する。出力形式は、リスト表示、グラフ表示など、ユーザーのニーズに応じて変更可能である。

このシステムは、通信モジュール１３０を介して、外部のデバイスやサーバと通信することができる。ユーザーは、検索結果を外部のデバイスに保存したり、他のユーザーと共有したりすることができる。

また、システムは、操作モジュール１４０と連携して、ユーザーからの操作を受け付ける。操作モジュール１４０は、検索の開始、結果のフィルタリング、表示形式の変更など、ユーザーの操作に応じて、システムの動作を制御する。

本実施例のシステムは、特許情報の高速な検索と整理を実現することができる。ユーザーは、このシステムを使用することで、効率的に特許情報を取得し、分析することができる。

この説明は、提供された画像を元に仮定した内容を基にしています。実際の特許出願を行う際には、具体的な技術内容や独自の機能に基づいて、詳細な説明を行う必要があります。

以上がGPTの回答です。図面だけからここまで読み取ってくれました。特に、「特許検索のためのソフトウェア」であると理解できたことには驚かされました。この図面と特許を結び付けるヒントになるのは、126が「拒絶理由認定部」となっていることだけだからです。ただし、現時点では図面のブロック図の文字が誤認識されることがあるので確認は必要です。

次にルイファン・ジャパンの特許第5324681号の図1（左ページ）を読み込ませます。説明がないと、コンサートライトであることさえわからないかもしれません。

Q：これを特許出願の実施例になるように説明を作成してください。

↓

GPT：この画像を元に特許出願の実施例を作成します。以下にその説明を示します。

実施例

図は、新型の筆記具１００を示す断面図である。

筆記具１００は、本体部１０１、インク収容部３０１、および先端部４０１から構成される。本体部１０１は、ユーザーが筆記時に握る部分であり、快適な握り心地を提供するためのエルゴノミクスデザインが考慮されている。

インク収容部３０１は、筆記具１００の内部に配置され、インクを収容する。この部分は透明または半透明の素材で形成されることが考えられ、ユーザーがインクの残量を視認できる構造となっている。

先端部４０１は、インクが筆記面に供給される部分であり、細かな文字や線を描くことが可能な細い先端が特徴である。さらに、先端部４０１の基部には、インクの流れを調節するための調節機構４０３が配置されている。この調節機構４０３により、筆記具１００は太い線から細い線まで、ユーザーの筆圧に応じてインクの供給量を変えることができる。

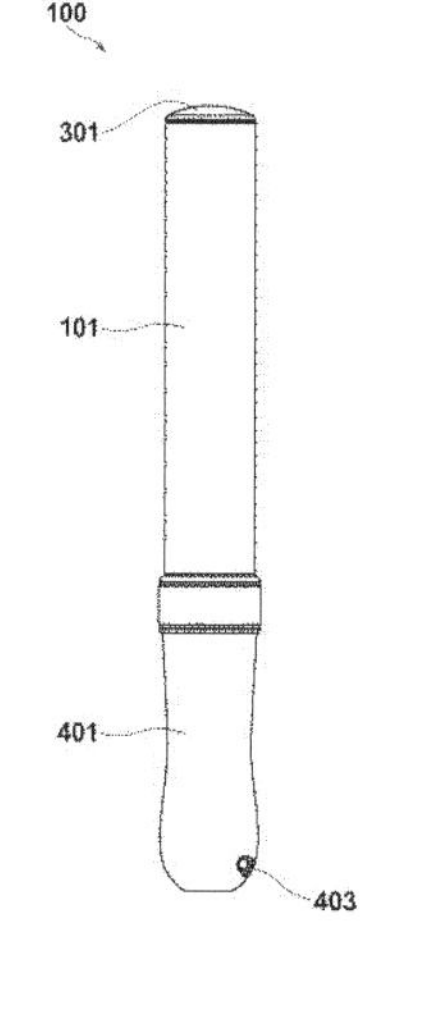

この新型の筆記具１００は、高い書き味と使い心地を実現するための独自の機能や構造を有している。特に、調節機構４０３によるインクの供給量の調節は、ユーザーが様々な筆圧での書き味を楽しむことができる点で、従来の筆記具とは一線を画する。

この説明は、提供された画像を元に仮定した内容を基にしています。実際の特許出願を行う際には、具体的な技術内容や独自の機能に基づいて、詳細な説明を行う必要があります。

ＧＰＴは、この図面を筆記具のものと間違えました。そこで、以下のように記載しました。

Ｑ：筆記具ではなくて、コンサートライトです。

↓

ＧＰＴ：申し訳ございません。再度、コンサートライトとしての実施例を作成いたします。

実施例

図は、新型のコンサートライト１００を示す断面図である。

コンサートライト１００は、本体部１０１、電池収容部３０１、および照明部４０１から構成される。本体部１０１は、ユーザーがコンサートやイベント時に握る部分であり、滑りにくく、持ちやすいデザインが考慮されている。

電池収容部３０１は、コンサートライト１００の内部に配置され、電池を収容する。この部分は、蓋を開けて電池の交換が可能な構造となっている。

照明部４０１は、ＬＥＤや発光ダイオードを含む光源を持ち、これにより明るく鮮やかな光を放つことができる。また、先端部には、光の拡散や色の変化を助けるレンズやフィルター４０３が配置されている。このフィルター４０３により、さまざまな色やパターンの光を放つことが可能となり、コンサートやイベントの雰囲気を盛り上げる。

この新型のコンサートライト１００は、使い勝手と視覚的効果を両立した設計が特徴である。特に、フィルター４０３による光の色やパターンの変化は、コンサートの興奮や感動をさらに高める要素として注目される。

この説明は、提供された画像を元に仮定した内容を基にしています。実際の特許出願を行う際には、具体的な技術内容や独自の機能に基づいて、詳細な説明を行う必要があります。

GPTの回答には、機能を間違えている部分があったりLEDと発光ダイオードを併記するなど、まだ未熟さを感じさせる部分もありますが、この図面の内容をかなり正確に捉えて文書化できているといえるのではないでしょうか。

最後にもう一点、ChatGPTの活用事例をご紹介します。実はChatGPTは商標登録にも活用できるのです。商標登録で必要とされる文章は、特許申請よりも少なくてすみます。これをChatGPTは、的確に作成してくれます。

たとえば、AI Samurai が登録した商標「IP LANDSCAPE」の場合は、次のようになりました。

まず商標「IP LANDSCAPE」に対しての指定商品・役務は、第9類の商品である「人工知能の機能を有する電子計算機用プログラム（以下、省略）」、第42類の役務である「人工知能プログラム（電子計算機用プログラム）の提供」となります。

これについて、次のような質問をGPT－4に投げかけて答えさせてみました。

Q：私は、特許検索のソフトウェアプログラムを作成しています。また、そのプログラムを提供もしております。商標登録出願の指定商品・役務は何類でどのように記載をすればよいでしょうか。

↓

GPT：特許検索のソフトウェアプログラムを作成し、そのプログラムの提供も行っている場合、指定商品・役務は、ニース協定に基づく国際商品・役務分類（Nice Classification）に従って、特定の「類」に分類する必要があります。

以下は、商標登録出願の際の指定商品・役務の記載例です：

第９類：
コンピュータソフトウェアプログラム
特許検索用コンピュータソフトウェア

第42類：
コンピュータソフトウェアの提供サービス
コンピュータソフトウェアのカスタマイズサービス
オンラインでの特許検索サービス

第9類は、コンピュータ関連のハードウェアやソフトウェア、そしてそのようなプログラムやデータキャリアを含んでいます。一方、第42類は、科学的・技術的サービスや研究、そしてこれに関連するソフトウェアの提供やカスタマイズに関連するサービスをカバーしています。

ソフトウェア自体の登録と、ソフトウェアを提供するサービスの登録を両方行うことで、商標の保護をより強固にすることができます。ただし、出願する国や地域によっては、指定商品・役務の記載方法や要件が微妙に異なることがあるため、具体的な出願手続きを進める前に、その国の商標庁のガイドラインや、専門家の意見を参照することをおすすめします。

文句の付けようがありません。つまり登録商標にもChatGPTは使えるのです。そこで弁理士法人白坂では、通常の商標登録出願とは別のオンラインサービスで、ChatGPTを活用した「オンライン商標登録出願サービス」を提供しています。

最後に少しだけ宣伝をさせていただくと、弁理士法人白坂の「オンライン商標登録出願サービス」には、次のような特長があります。

- オンラインで完結し、最短1日で商標出願できます。
- 弁理士による15分の無料相談を行って出願できます。

本書で述べてきたように、私はＣｈａｔＧＰＴをフルに活用して知財強国・日本を実現するプラットフォームの実現に取り組んでいます。ＡＩ Ｓａｍｕｒａｉは、アメリカの調査会社CBI Insightsが２０２３年に発表したThe legal tech market map に Intellectual property (IP) management softwareの分野で掲載されるなど、国際的にも高い評価を受けています。今後のさらなる進化にご期待ください。

最後に

白坂君、防衛大学校を卒業し、自衛隊に入隊しない選択をする場合、国への貢献心（ロイヤルティ）を持ち、民間で最も尊い仕事「モノを教えること」に従事し、それを通じて国に恩返しをすることをお勧めします――このアドバイスは、卒業研究の指導教授である故佐藤平八先生（防衛大学校ＯＢ）からいただいたものです。

私はかつて、自衛隊に進むことに葛藤し、それを辞退することに後ろめたい気持ちがありました。しかし、佐藤先生からのこの励ましのメッセージは、私にとって今でも心の支えであり、先生のアドバイスを守り続けるべきだと思っています。

私は、何を「モノとして教える」ことができるのか、また日本にとって何が重要かを考えていました。日本は資源が限られているにもかかわらず、過去に高度成長を遂げ、世界で輝いたことがあります。この輝きの要因は、日本の発明力だと考えています。私は石川泰男弁理士（防衛大学校ＯＢ）の指導のもとで弁理士試験を受け、弁理士としての基礎知識を獲得しました。その後、企業や特許事務所での経験を積み重ね、その知識や経験を活かし、弁理士のノウハウのＡＩ化によって、日本企業の発明力を促進する一助となりたいと考えています。

最後に、２０１９年９月に、次世代のスタンダードを築く注目スタートアップ企業46社の一つとしてダイヤモンド社の『ネクスト・ザ・ファースト46』に取り上げていただいたことに深く感謝しています。本を出版する際はダイヤモンド社にお願いしたいと思っており、それが実現できたことにお礼を申し上げます。

協力していただいたＴｒｅｓ Ａｌｃｈｅｍｉｘ株式会社、株式会社ルイファン・ジャパン、柳田国際法律事務所 弁護士 清水節先生、株式会社ＡＩ Ｓａｍｕｒａｉ・弁理士法人白坂の弁理士 播磨里江子先生にも心から感謝申し上げます。そして、弁理士法人白坂、株式会社ＡＩ Ｓａｍｕｒａｉで協力してくれた皆さん、卒業生の方々、日本の知的財産に貢献するために共に努力したことに感謝しています。

常に温かく見守ってくれる両親、妻、息子・娘、柴犬のあんちゃんにも心から感謝の意を表します。

２０２３年11月

白坂 一

参考資料

＊1 産業財産権制度の歴史（特許庁）
https://www.jpo.go.jp/introduction/rekishi/seido-rekishi.html

＊2 科学技術指標２０２３（文部科学省科学技術・学術政策研究所）
https://www.nistep.go.jp/research/science-and-technology-indicators-and-scientometrics/indicators/

＊3 知財スキル標準 version 2.0 取扱説明書（特許庁）
https://www.jpo.go.jp/support/general/document/chizai_skill_ver_2_0/check_sheet.pdf

＊4 J-Plat Pat（特許情報プラットフォーム）
https://www.j-platpat.inpit.go.jp/

＊5 ＩＰ ＬＡＮＤＳＣＡＰＥ 特許検索
https://aisamurai.co.jp/iplandscape/

＊6 事業成長のための知財支援（工業所有権情報・研修館）

＊7 https://www.inpit.go.jp/katsuyo/index.html
訴訟の終了に関するお知らせ（ルイファン・ジャパン）
https://ruifan.co.jp/news/sosyou/

＊8 先行技術文献調査実務（工業所有権情報・研修館）
https://www.inpit.go.jp/content/100866552.pdf

＊9 ＡＩと弁理士の協働による進歩性判断―先行特許文献調査システムの発明現場への導入―（白坂 一）
https://dspace.jaist.ac.jp/dspace/bitstream/10119/17468/2/paper.pdf

＊10 Evaluating GPT-4 and ChatGPT on Japanese Medical Licensing Examinations
https://arxiv.org/abs/2303.18027 (Jungo Kasai et al.)

＊11 一般社団法人 こたえのない学校
https://kotaenonai.org/

＊12 【２０１８年下期】発明×探究：ポラリスこどもキャリアスクール８期開催報告（藤原 さと）
http://kotaenonai.org/blog/report/3416/

＊13 日本弁理士会関東会
https://ipe.jpaa-kanto.jp/

＊14 空き缶分別箱
https://patents.google.com/patent/JP5792881B1/ja/

＊15 Prospects of Applying ChatGPT in the Intellectual Property Industry (Samson Yu, Lucy Li)
https://en.kangxin.com/html/2/218/219/220/19539.html

＊16 Intellectual Property in ChatGPT (European Commission)
https://intellectual-property-helpdesk.ec.europa.eu/news-events/news/intellectual-property-chatgpt-2023-02-20_en/

＊17 ChatGPT and Intellectual Property (IP) related Topics (Ryan N. Phelan, Matthew R. Carey)
https://www.patentnext.com/2023/03/chatgpt-and-intellectual-property-ip-related-topics/

［著者］
白坂 一（しらさか はじめ）
博士（知識科学）、弁理士、国家試験知的財産管理技能検定委員、経済産業省 Healthcare Innovation Hubアドバイザー
1977年大阪府生まれ。
2001年に防衛大学校理工学部を卒業後、2003年に機械学習による画像処理の研究で横浜国立大学院 環境情報学府 博士前期課程修了。富士フイルムに入社し知的財産業務を経て2011年に弁理士事務所を設立（現在「弁理士法人白坂」）。またナスダック上場でマザーズ上場のビッグデータ解析企業の関連会社の社長を経験し、2015年にリーガルテックIT企業のAI Samuraiを創業。約10億円の資金調達を行い、AI（人工知能）を用いた特許審査・特許書類作成のシステム開発を行う。社会人学生としてAIと弁理士の協働による進歩性判断に関する研究で、2021年に北陸先端科学技術大学院大学 先端科学技術研究科 博士後期課程修了。2019年「JEITAベンチャー賞」受賞、2022年「関東地方発明表彰発明奨励賞」受賞。

特許3.0　AI活用で知財強国に

2023年12月12日　第1刷発行

著　者——白坂 一
発行所——ダイヤモンド社
〒150-8409　東京都渋谷区神宮前6-12-17
https://www.diamond.co.jp/
電話／03-5778-7235（編集）　03-5778-7240（販売）

執筆協力——竹林篤実
編集協力——稲田敏貴
装丁・本文デザイン——米谷豪
製作進行——ダイヤモンド・グラフィック社
印刷————堀内印刷所（本文）・新藤慶昌堂（カバー）
製本————加藤製本
編集担当——中鉢比呂也

ISBN 978-4-478-11757-6